여행 그리고

조난

여행 그리고 조난

조시우 지음

목차

내 꿈은 생존왕

은찬이는 TV를 보고 있었다. 은찬이가 좋아하는 생존 프로그램이었다.

"자! 이제 피난처를 만들고 불을 피워서 밤을 따뜻하게 보내야 합니다. 먼저 피난처는 이런 바위 사이에 들어가서 밤을 보내면 되고요 이제 불을 피워야 합니다. 여러분 사실 라이터나 파이어 스틸이 없어도 불을 피울 수 있습니다. 여러분도 제가 쌍안경을 든 것이 보이실 겁니다. 이 쌍안경의 렌즈를 분리하고 이 렌즈로 빛을 모아 불을 피우는 겁니다. 이 방법은 안경알이나 돋보기, 물이든 비닐봉지로도 가능합니다.

자~ 마른 나뭇가지와 풀들을 놓고……. 좋습니다. 그리고 이렇게 빛을 모아주고요~ 마른풀 위쪽에 빛이 위치하도록 하고요~ 이제 기다리면 됩니다.

좋아요! 불이 피어오르고 있습니다."

은찬이는 숨을 죽이고 TV를 봤다. 아마 은찬이가 아닌 이 프로그램을 보는 사람들은 다 그럴 거라고 은찬이는 생각했다. TV 속에서 생존왕 레이가 말했다.

"자~~ 지금이 중요합니다. 불이 피어오르기 시작하면 마른 잔가지를 놓고 잔가지에도 불이 붙었으면 이제 장작을 올려 줍니다."

"붙었어! 불이 붙었다고!"
은찬이가 말했다.
"우리 아빠는 토치로도 3분쯤 걸렸는데 레이는 2분도 걸리지 않았다고!"
이제 프로그램이 끝났다. 은찬이는 샤워하고 잠자리에 들었다. 침대에 누워 은찬이는 생각했다.
'나도 크면 레이처럼 멋진 생존왕이 될 거야!'
그날 밤 은찬이는 악몽을 꾸었다.
은찬이는 비행기를 타고 있었는데 비행기가 추락했다. 비행기가 바다에 잠기고 은찬이는 죽을힘을 다해 탈출했다. 근처에 보트가 있었다. 은찬이는 보트에 매달려 올라탔다. 저 멀리 섬이 보여서 그곳으로 갔다. 그곳에는 사람도 없는 무인도였다. 은찬이는 앞으로 달려가다가……

"김은찬! 일어나! 8시 20분이야! 또 지각하고 싶어?"

'휴~ 꿈이었구나'

은찬이는 바람처럼 빠르게 준비했다. 겉보기와 다르게 은찬이는 굉장히 빨랐다.

학교까지 뛰어간 덕에 은찬이는 겨우 지각을 면했다. 쉬는 시간에 은찬이는 친구들과 생존왕 레이 이야기를 했다.

"어제 생존왕 레이 봤어?"

"3분 만에 불피우는 건 정말 멋지다!"

은찬이가 말했다.

"레이가 저번에 연어 잡았을 때 그냥 날것으로 먹더라~"

"생선에 수분이 있다면서 회로 먹은 거"

"그것도 생존 팁인데 물을 아껴야 해서 회를 먹었데."

은찬이는 친구들에게 레이가 나무 곤봉만 가지고 악어를 지나치는 장면은 이야기했다.

"저번에 레이가 악어 따돌리는 거 봤지? 지난주인가 방송할 때 레이가 나무 곤봉으로 악어의 코를 때린 뒤 재빨리 강을 건너서 악어의 공격을 피했잖아. PD가 왜 죽이지 않았느냐고 물어보니까 레이가 자기는 자연을 사랑한다고 자신은 자연을 절대로 죽이지 않을 거라고 했잖아! 멋지다."

그 순간 종이 울렸다.

은찬이는 과학책을 꺼내고 수업 준비를 했다. 과학 선생님이 교실로 들어오셨다.

"여러분 오늘은 교과서 78쪽을 펴세요. 오늘은 증산 작용이라는 걸 배울 것에요. 증산 작용이 뭔지 아는 사람?"

선생님이 물었다. 은찬이가 손을 들었다. 선생님이 말씀했다.

"은찬이가 말해봐라."

다른 아이들이 조금 아쉬운 듯 손을 내렸다.

"증산 작용은 식물체 속의 물이 수증기가 되어 기공을 통해 빠져나오는 현상입니다."

은찬이가 말했다. 과학 선생님이 웃으며 말씀하셨다.

"나도 그렇게 잘 설명할 수는 없겠는걸~"

"오늘은 실험을 할거할 거예요. 모둠별로 식물이랑 비닐봉지 받아 가세요."

은찬이는 선생님 설명을 듣고 실험을 했다. 비닐봉지를 잎에 묶어 놓는 것이다.

"내일이면 물이 비닐봉지에 차 있을 거예요. 목요일까지 관찰일지 적어오세요."

선생님이 나가시자 민혁이가 은찬이에게 다가왔다.

"오늘 수업 최고였어! 저거 식수 구하는 생존 팁이잖아. 네가 그렇게 발표를 잘했던 것도 이상할 게 없지~"

학교가 끝나고 은찬이는 집으로 달려갔다.

그런데 엄마가 심각한 얼굴로 은찬이에게 물었다.

"은찬아, 우리가 미국에 가기로 했잖아. 그런데 비행기 시간이 다르게 표가 나왔어. 공항에서 취소는 어렵다는 거야. 네가 3일 빠르게 타는데 삼촌이 너 돌봐 준데. 다행히 그 비행기는 2인용 비행기야. 너랑 조종사 둘이서만 타는 거래."

"그게 더 안전하다는 말이 있어서 너는 그 비행기로 바꿨어. 삼촌도 거기 근처에 살아서 너 데리러 갈 거야. 잘 갈 수 있지?"

"응 잘 갈 수 있어! 삼촌이 나 잘 놀아주니까 나는 오히려 좋지! 비행기 시간은 언제야?"

은찬이가 물었다.

"내일 아침에 준비하고 12시까지는 공항에 가야 해."

엄마가 말했다.

은찬이는 신난 얼굴로 생존왕 레이를 틀었다.

"안녕하세요. 레이입니다. 이번 시간에는 식수 구하는 법을 알려드리도록 하겠습니다. 저기 물이 고여있습니다. 하지만 이런 물을 바로 마시면 탈수가 오고 병에 걸릴 수 있죠.

이곳은 모래가 많이 섞인 흙입니다. 이렇게 구덩이를 파주고 기다리면 물이 모래흙을 통과해 구덩이로 들어오는 것이 보이실 겁니다. 이 구덩이에 모인 물은 깨끗한 물입니다.

그러니 바로 마셔도 됩니다. 이물은 제 물통에 떠가도록 하겠습니다."

그때 엄마가 은찬이에게 말했다.
"은찬아 넌 그렇게 생존이 좋아?"
"응 저렇게 불피우고 물고기 잡는 게 얼마나 재밌는데!"
"그럴 줄 알고 엄마가 생존 관련 책을 사 왔어. 여기에 불 피우는 법 5가지, 식수 구하는 법, 식량 구하는 법, 피난처 만 드는 법, 구조 신호 보내는 법 등이 나와 있어."
"요즘 남자애들에게 인기더라~"
"우와~ 엄마 고마워"
은찬이가 뛸 듯이 기뻐하며 말했다. 은찬이는 당장 책을 읽 어 보려고 방으로 들어갔다.
제목은 '나의 생존 이야기'였다. 1장은 피난처 만드는 법이다.

'피난처는 근처에 큰 바위가 있다면 거기에서 바람을 피한다. 쓰러진 나무에서도 같은 방법으로 비를 피할 수 있다. 만약 주 위에 아무것도 없다면 땅굴을 파고 동물의 가죽이나 나무껍질 로 지붕을 만든 뒤 지붕을 단단히 고정해서 임시 피난처를 만 들 수 있다. 또 돌담을 주위에 쌓고 나뭇가지를 지붕 모양으로 고정하고 나뭇잎을 쌓아서 지붕 모양을 만들 수 있다.'

1시간 뒤 은찬이는 책을 반 정도 읽고 내일 미국으로 가기 위한 준비를 했다. 가방에 생존책을 넣고 옷을 챙겼다. 그리고 잠자리에 들었다.

다음날 은찬이는 공항에 갔다. 공항에서 아침을 먹고 비행기를 타러 갔다. 아침을 먹고 엄마가 은찬이에게 말했다.

"은찬아, 비행기에서 하루 자야 하는데 목베개 같은 거 필요 없어?"

"하나 있으면 좋지."

엄마가 목베개를 사러 가는 동안 은찬이는 유튜브로 생존왕 레이를 봤다. 레이가 말했다.

"만약 여러분들이 무인도 같은 곳에 조난되었다면 당황해서 평정심을 잃어버리는 경우가 많습니다. 여러분 평정심을 잃어버리시면 안 됩니다. 조난 시 마음을 안정시키는 게 가장 중요합니다. 마음을 안정시키세요. 마음이 안정되면 주위를 둘러보세요. 그리고 생존을 시작하는 겁니다."

은찬이는 엄마가 오자 핸드폰을 끄고 비행기를 타러 갔다. 비행기를 타기까지는 아직 30분 정도가 남았다.

은찬이는 엄마가 사준 생존책을 읽었다.

'불피우는 걸 읽어야지 생존에서 불이 얼마나 중요한데!'

'불피우는 법은 많지만 가장 널리 쓰이는 두 가지 방법을 알려주겠다. 첫 번째는 볼록렌즈로 태양 빛을 모아 불을 피우는 방법이다. 이 방법은 카메라 렌즈, 물이든 비닐봉지 등 볼록렌즈의 성질을 가지고 있는 물체는 뭐든 가능하다.

두 번째 방법은 마찰열을 이용하는 것이다. 나무판에 작은 홈을 내고 나뭇가지를 끼운다. 그다음 두 손으로 나뭇가지를 비빈다. 그러면 마찰열이 발생하는데 이때 비비는 걸 멈추고 홈에 V자로 구멍을 내준다…. 그리고 다시 비비면 재가 모이게 되는데 재 속에 불씨를 부실 깃에 넣고 불어준다. 불이 붙었다면 잔가지를 두고 장작을 넣는다.'

이제 비행기를 탈 시간이 되었다. 은찬이는 비행기를 타러 갔다.

"은찬아, 비행기에서 내리면 바로 전화해 무슨 일 있으면 바로 연락하고!"

엄마가 걱정하며 말했다.

"알았어! 내리면 바로 전화할 게 사랑해!"

은찬이는 비행기에 올라탔다. 조종사가 물었다.

"잘 부탁한다. 이름이 뭐지?"

"김은찬이요."

은찬이가 말했다.

"김은찬? 이름 참 좋다.~"

"10분 뒤에 이륙할 거니까 지금이라도 화장실 다녀올래? 너도 알다시피 이런 소형 비행기는 화장실이 없거든.~"

조종사가 말했다.

"네 화장실 다녀올게요."

은찬이는 물을 마시고 화장실에 갔다. 화장실에서 은찬이는 아빠에게 문자를 보냈다.

'아빠 일 때문에 못 온다는 거 들었어. 비행기는 잘 탔어. 또 문자 할 게 며칠 뒤에 미국에서 봐 사랑해'

은찬이는 비행기로 갔다. 은찬이가 말했다.

"아저씨 여기 화장실이 없으면 아저씨가 조종할 때 소변이 마려우면 어떻게 해요?"

"조종사들은 그런 상황이 생길까 봐 항상 비닐봉지를 가지고 다니지. 자! 너도 비닐봉지는 가지고 있어라!"

조종사가 은찬이에게 비닐봉지 4장을 주며 말했다.

"영화 볼래? 여기에 영화가 좀 있거든."

"아니요 괜찮아요. 저는 이 책이 더 좋아요."

"그래? 그러면 그거 읽기 전에 안전 영상 틀어줄 거니까 봐라. 네가 지금까지 탄 비행기와 다르게 몇 가지 추가 안전 수칙이 있어."

은찬이는 안전 수칙을 보고 다시 생존책에 빠져들었다. 먹을 수 있는 식물과 동물, 조류, 생선 구분하는 법을 외우고 있었다. 조종사가 말했다.

"너 생존 같은 거에 관심 있니?"

"네 생존 좋아해요."

은찬이가 말했다. 생존이 없다면 은찬이는 아마 하루하루를 지루하게 살고 있을 것이다.

조종사가 말했다.

"나도 생존에 관심이 많아. 어릴 때는 거의 매일 들에서 모닥불을 피우고 놀았지. 그때가 나에게는 가장 행복한 시간이었어. 그때로 돌아갈 수만 있다면 얼마나 좋을까?"

조종사가 말을 이었다.

"갑자기 배가 고파지네! 밥 먹을래?"

은찬이가 말했다.

"여기 기내식은 뭐가 있어요?"

조종사가 웃으며 말했다.

"은찬아 네 부모님은 부자니? 네 부모님은 부자신 것 같아 이 소형 비행기도 비싸고 좌석도 1등급으로 업그레이드를 하셨어. 일등석 기내식은 크림 파스타와 스테이크로 준비되어 있고 후식은 딸기빙수로 준비되어 있어. 하나 골라봐."

은찬이는 큐브 스테이크와 딸기빙수를 골랐다.

조종사가 뒤에 있는 기내식을 꺼내 익히는 동안 은찬이는 다시 동물 손질하는 법을 익혔다.

드디어 기내식이 나왔다. 은찬이와 조종사는 기내식을 먹고 딸기빙수를 먹었다. 은찬이는 조종사에게 좀 자겠다고 했다. 조종사는 그러라고 했다. 은찬이는 잠을 자려고 누웠다. 일등 석 이어서 그런지 의자가 매우 편했다.

이렇게 자고 일어나면 미국에 도착해 있을 것 같았다.

"은찬아! 일어나! 큰일 났어!"

조종사의 목소리가 들렸다.

은찬이는 눈을 떴다. 비행기에 사이렌이 울리고 있었다.

"여기는 관제탑 응답하라 오버"

조종사의 무전기에서 목소리가 들렸다.

"비행기가 추락한다. 구조 바람 반복한다. 비행기가 추락한다. 구조 바람 오버."

은찬이는 조종사의 말을 듣고 정신이 나갈 뻔했다.

"아저씨 이 비행기가 추락해요? 제발 아니라고 해줘! 난 죽기 싫어!"

은찬이가 소리를 질렀다.

조종사가 말했다.

"은찬아, 아직 희망이 있어! 아마 구조를 기대하긴 틀린 것 같지만 이 아래는 수심이 아주 깊은 태평양이 있고 주위에 섬도 있잖아. 조금만 수영해도 섬에 갈 수 있을 거야. 그리고 우리 둘 다 좌석에 있는 이 빨간 손잡이를 잡아당기면 좌석이 튀어 오르면서 낙하산이 펴져. 영화에서 봤지? 그렇게 탈출하는 거야! 할 수 있지?"

조종사는 은찬이를 안심시키고 비상 탈출법을 알려주었다.

"아까 안전 수칙 봤지? 그것처럼 하면 돼!"

은찬이는 생각했다.

'그래! 어차피 죽는 거 끝까지 해보자!'

그렇게 은찬이와 조종사는 고글을 쓰고 안전줄을 당겼다.

불시착

은찬이는 자신과 의자가 아주 높이 떠오르는 것을 느꼈다.

'이건 정말 미친 짓이야.'

은찬이가 중얼거렸다.

'내가 저기 있는 3개의 섬 중 하나에 착륙하지 못하고 바다에 떨어진다면 어떡하지?'

그때 쿵! 소리가 났다. 비행기가 물에 빠진 것이다. 비행기는 물에 빠졌음에도 엄청난 소리가 났다. 은찬이는 계속 조종사를 따라가려고 노력했다.

그런데 갑자기 바람이 불었다. 낙하산 조종을 할 줄 모르는 은찬이는 그대로 날아가 버렸다. 이대로 가다간 조종사와 멀리 떨어져 있는 섬에 내리게 될 거다. 조종사가 은찬이를 구하러 오려고 했지만 바람이 너무 강하게 불어서 날아가 버렸다. 은찬이는 최후의 수단을 쓰기로 했다. 조종사와 헤어지고 섬에 착륙하는 것이다. 3개의 섬이 거리가 많이 떨어져 있었다. 한 섬에서 다른 섬까지의 거리가 약 5킬로미터 정도는 돼 보였다. 은찬이와 조종사는 서로 반대 방향으로 날아가 버려서 아마 5킬로미터 떨어진 두 섬에 착지하게 될 것이다. 착륙할 섬을 고르는데 비행기 잔해가 한 섬에 떠밀려 왔다. 은찬이는 잔해가 떠밀려 온 섬에 착륙하기로 했다. 잔해로 피난처를 만들고 기내식과 물이 남아 있을지도 모른다.

은찬이는 손짓으로 말했다.

'저와 아저씨는 여기서 헤어져요. 꼭 살아남아야 해요!'

조종사는 은찬이에게 손을 흔들더니 착륙했다.

은찬이도 섬에 착륙했다. 은찬이는 섬에 착륙하자마자 주위를 살폈다. 게와 조개가 엄청나게 많았다. 적어도 굶어 죽지는 않을 것이다. 비행기는 나중에 살피기로 했다. 피곤하고 어지럽고 한쪽 발목도 불편한 것 같았다.

그리고 비행기가 추락하면 폭발할 가능성도 있으므로 최소 200미터는 떨어져 있어야 한다.

은찬이는 비행기 잔해에서 400미터는 떨어졌다.

'목마르고 배고파 비행기에서 탈출할 때 생수랑 음식 좀 챙겨오는 건데'

은찬이는 자신이 휴대전화를 가지고 있다는 것을 알았다. 은찬이는 가방에서 휴대전화를 꺼냈다. 구조 요청을 할까? 아니면 부모님에게 전화해서 부모님을 안심시킬까? 배터리는

2%밖에 남지 않았다. 서둘러 결정해야 했다. 은찬이 고민했다. 하지만 답은 뻔했다. 여기는 거의 미국에 가깝다고 봐야 하는 데 지금 전화하면 한국 소방서에 연결될 것이 뻔했다. 은찬이는 서둘러 부모님에게 전화를 걸었다. 엄마랑 아빠 아직 비행기가 추락했다는 걸 모를 것이다. 아빠는 출장을 갔기 때문에 일하느라 전화를 받지 못할 것이다. 은찬이는 서둘러 엄마에게 전화를 걸었다.

엄마가 전화를 받았다.

"여보세요?"

"엄마! 비행기가 추락했고 나는 섬에 떨어졌어! 꼭 살아남을 거니까 나 좀 찾아줘! 꼭 찾아….

그때 전화가 꺼졌다. 은찬이는 아쉬운 마음도 들었지만, 혼자라서 무서운 마음이 더 컸다.

생존의 첫 번째는 물도 음식도 아닌 보호다. 불을 피우고 피난처를 만들지 못하면 구조받지 못할 수도 있다. 일단 피난처를 만들려고 했지만, 배가 너무나 고팠다. 배가 고파 미칠 것 같았다. 일단 뭘 먹어야 할 것 같았다. 생존에서 가장 중요한 것은 보호고 두 번째가 구조 그다음이 물이고 마지막이 식량이지만 지금은 너무 배가 고파 아무것도 하지 못할 것 같았다. 음식을 좀 찾아서 먹은 뒤 기운을 차리고 피난처를 만들면 될 것 같았다.

은찬이는 음식을 찾아서 숲속으로 들어갔다. 숲속으로 들어가면서 은찬이는 생각했다.

'숲속에는 열매가 많을 거야 열매를 먹으면 배고픔은 물론 갈증까지 해결되지. 이곳 어딘가에 열매가 있을 거야.'

은찬이는 열매를 찾아 걷기 시작했다.

15분쯤 걸었지만, 열매는 찾지 못했다. 은찬이는 잠깐 쉬려고 나무 그늘 밑에 앉았다. 그 순간 은찬이는 10미터 정도 높이의 나무에 열려있는 오렌지가 보였다. 하지만 은찬이에게는 나무를 탈 수 있는 기술이 없었다. 은찬이는 열매를 어떻게 탈 수 있을까 생각했다.

'길이가 길고 튼튼한 나뭇가지를 던져서 딸 수도 있고 무거운 돌을 위로 던져서 돌이 떨어지는 힘으로도 딸 수도 있어. 우선 막대기를 던져보자.'

은찬이는 막대기를 던져보기로 했다.

첫 번째 막대는 오렌지를 맞췄지만, 오렌지는 흔들릴 뿐 떨어지지 않았다. 한 번 더 던졌지만 빗나갔다.

은찬이는 막대를 하나 더 던졌다. 오렌지가 떨어졌다.

은찬이는 얼른 달려가서 오렌지를 받았다. 그리고 껍질을 대충 벗기고 오렌지를 먹기 시작했다. 오렌지 나무의 가지가 떨어진 건 큰 행운이었다. 오렌지 다섯 개가 달려 있었기 때문이다. 목마름과 배고픔을 해결하니 세상을 다 가진 것 같았다. 은찬이는 피난처를 만들며 생각했다.

'이제부터는 피난처를 집이라고 불러야겠어. 난 이걸 대피하려고 만드는 게 아니라 여기 살려고 만드는 거니까.'

은찬이는 집을 어떻게 만들어야 할지 생각했다.

'길이가 50에서 60센티미터쯤 되는 길고 튼튼한 나뭇가지 4개를 땅에 꽂아서 기둥을 만들고 내가 착륙할 때 쓴 낙하산을 위에 씌우고 묶어서 고정하면 실내는 완성이야 주위에는 돌담을 쌓으면 돼. 돌담은 40센티미터쯤 쌓으면 될 것 같아. 불을 피우면 돌이 온기를 반사해 집 안쪽을 더 따뜻하게 만들어줄 거야.'

은찬이는 낙하산을 가지러 갔다. 집은 도저히 오늘 하루 만에 완성하지 못할 것이다. 낙하산에 줄이 엄청 많이 달려 있으니 한 줄만 뽑아서 불을 피울 때 유용하게 쓸 수 있을 거다. 낙하산으로 집을 만들 장소로 돌아왔다. 우선 막대 4개를 네모 모양으로 땅에 꽂았다. 그다음 낙하산을 덮었다. 이제 낙하산을 고정하기 위해 낙하산 줄로 낙하산을 묶었다. 마지막으로 바닥이 필요해 남은 낙하산을 땅 위에 깔았다. 집을 다 만들었다.

은찬이는 가방과 오렌지를 집 안으로 옮기고 불 피울 준비를 했다. 나무 막대기와 땔감으로 쓸 나무를 엄청 많이 가져왔다. 은찬이는 나무들을 집 밖에 놔두고 잠깐 쉬러 집에 들어갔다. 집에 눕자마자 피곤함이 몰려왔다.

불을 피우진 못할 것 같았다. 낙하산으로 이불을 만들어 덥고 잠자리에 들었다. 여름밤이라 그렇게 춥지는 않을 것이다.

'참 정신없는 하루였어.'

은찬이는 누워서 생각했다.

다음날 은찬이는 집 만들기를 계속했다. 오늘은 집 주위에 돌담을 쌓는 거다. 은찬이는 돌을 구하러 숲으로 갔다. 숲에는 돌담을 쌓기 적당한 크기의 돌이 많았다. 돌을 옮기는 일은 생각보다 오래 걸렸다. 돌을 옮기는데, 반나절이나 걸렸다.

돌을 옮기느라 음식도 먹지 않았기 때문에 은찬이는 집에서 오렌지를 하나 꺼내 먹었다. 아주 맛있었다. 오렌지를 먹으니, 힘이 나는 것 같았다. 돌을 아주 많이 옮겼지만, 돌을 쌓는 건 시작도 못 했다. 은찬이는 돌을 쌓기 시작했다.

돌을 쌓는 건 돌을 옮기는 일만큼이나 힘들고 오래 걸렸다. 은찬이는 친구들이 너무나 보고 싶었다.

'민혁아 네가 여기 있다면 얼마나 좋을까? 우리 둘이 집을 만들었다면 지금쯤 다 만들고 쉬고 있겠지? 먹을 것도 같이 찾아다니고 그랬을 거야. 아마 불도 피웠겠지. 네가 여기 있었으면 정말 좋겠다.'

은찬이의 가장 친한 친구는 민혁이다. 둘은 5살 때부터 친구였다. 민혁이도 은찬이만큼 생존을 좋아해서 둘은 서로의 집에 놀러 갈 때면 항상 생존 놀이를 했다. 성냥도 라이터도 없었지만 둘은 상상의 라이터로 불을 피우고 냇가가 있다고 가정하고 물을 구하고 물고기를 잡아 구워 먹으며 이야기를 나누었다. 하지만 지금은 옆에 민혁이가 없다. 은찬이는 민혁이가 그리웠지만 집을 얼른 완성해야 했다. 민혁이가 보고 싶다면 꼭 살아남아야 했다. 꼭 살아남아야 한다.

　은찬이는 다시 돌을 쌓기 시작했다. 지금은 오후 1시쯤 될 거다. 은찬이는 1시간 동안 아무 말도 하지 않고 돌을 쌓았다. 드디어 집을 완성했다. 은찬이는 완성한 집을 바라보았다. 그것은 정말 아름다웠다. 너무 좋았다. 은찬이는 집에서 잠깐 쉰 뒤 비행기에 가보기로 했다. 비행기는 폭발하지 않았고 생수와 기내식이 있을 수도 있기 때문이다. 은찬이는 비행기로 갔다. 저 멀리 비행기가 보였다. 큰 사고가 난 듯 비행기는 날개가 박살이 나 있고 몸통은 심하게 찌그러져 있었다. 은찬이는 비행기에 들어갔다. 쓸 만한 건 모조리 주워갈 작정이었다. 은찬이는 생수 2병을 발견했다. 그리고 바닥을 보다가 반진고리 세트도 찾았다. 바늘은 낚싯바늘로 쓰면 될 것 같았다. 이제 비행기에는 다른 게 없는 것 같았다.

은찬이는 비행기에서 나와서 날개에 있는 알루미늄 쇠붙이를 때려고 안간힘을 쓰고 있었다. 턱 터터터턱! 소리가 나면서 알루미늄 덮개가 떨어졌다. 알루미늄 덮개를 펴면 집을 감쌀 수 있을 것 같았다.

"이것도 쓸모가 많을 거야."

은찬이는 집으로 돌아와 알루미늄 덮개와 생수, 반짇고리 세트를 놔두고 불 피울 준비를 했다.

생존책을 꺼내 온 뒤 불피우는 법을 폈다.

마찰열로 불을 피우는 법은 나무판에 홈을 내주고 나무 막대기를 끼워준 다음 활을 한 바퀴 감아 활을 꼬아준다. 그다음 나무에 홈을 파 손잡이를 만들고 홈에 나무막대를 끼운 다음 활을 앞뒤로 흔들어 주면 나무막대가 돌면서 나무판의 홈에 마찰열이 발생한다. 어느 정도 돌리면 홈에 V자 홈을 내주고 다시 마찰열을 발생시킨다.

그러면 점점 재가 모이기 시작하는데 재가 충분히 모였다 싶으면 재 속에 불씨가 있으니, 재를 마른풀에 넣고 바람을 불어준다. 불이 붙으면 성공!

이 방법을 보우 드릴이라고 한다.

은찬이는 책에 나와 있는 방법대로 준비하고 활을 흔들었다. 엄청 오랫동안 마찰열이 발생하자 연기가 났다.

은찬이는 잠깐 멈추고 홈을 V자 모양으로 파주고 다시 마찰열을 발생시켰다. 은찬이는 이제 힘들어서 못 하겠다 싶을 정도로 계속 활을 흔들었다. 이제는 못 하겠다 도저히 못 하겠다 싶었지만 은찬이는 계속했다. 재가 점점 쌓이고 있었다. 팔이 떨어질 것 같았다. 너무 덥고 힘들었다. 하지만 계속해야 했다. 엄마가 보고 싶다면. 아빠가 보고 싶다면. 민혁이가 보고 싶다면. 은찬이는 불을 피워서 꼭 생존해야 했다. 은찬이는 마지막 힘을 다해 불을 피웠다.

이렇게 힘든 적은 없었다. 한여름 200미터가 넘는 오르막길을 자전거로 올랐을 때도 이렇게는 힘들지 않았다. 이제 홈에서 연기가 엄청 많이 나오고 재도 많이 쌓여 있었다. 은찬이는 이제 활 흔들기를 멈췄다. 하지만 쉴 수 없었다. 재를 마른나무에 넣고 바람을 불었다. 불씨가 생겼다. 하지만 아직 불이 붙지는 않았다. 은찬이는 계속해서 바람을 불었다.

"후 우우~"

"후우우우우우우~"

"후우우우우우우우~"

드디어 불이 붙었다. 불은 타닥! 소리를 내며 타올랐다. 은찬이는 불에 장작을 넣었다. 불은 순식간에 타올랐다. 마치 장작이 먹이라도 되는 것처럼 순식간에 타올랐다.

은찬이는 장작을 더 넣고 기쁜 마음으로 말했다.

"내가 불을 피웠어! 내가 불을 피웠다고! 야영장에서는 실패했지만, 오늘은 성공했어! 이제 정말로 구조대원들이 오기 전까지 버틸 수 있어! 정말 나 자신이 자랑스럽다."

은찬이는 불 옆에 앉았다. 불 옆에 앉으니, 민혁이가 생각났다.

"이러고 있으니까 어릴 때 민혁이랑 생존 놀이했었던 거 생각나네…. 보고 싶다 민혁아"

은찬이는 주위가 어두워지기 시작하자 집 안으로 들어갔다. 불 덕분에 집은 너무 따뜻했다.

은찬이는 누워서 자려다 할 일이 생각나서 집 밖으로 나왔다. 집 주위에 돌담을 쌓고도 돌이 남았다. 은찬이는 돌을 주워 모닥불 근처에 쌓았다. 방풍벽을 만들기 위해서였다.

"이러면 바람이 불어도 모닥불이 꺼지지 않겠지."

은찬이가 말했다. 지금은 너무 어두워서 먹을 걸 구할 수가 없을 것 같아 은찬이는 집으로 들어갔다. 내일은 먹을 걸 구해야지. 낚싯바늘을 만들어서 낚시해야겠다. 내일은 잘하면 생선을 먹을 수 있을 거란 생각에 은찬이는 기분 좋은 마음으로 잠자리에 들었다.

다음날 은찬이는 깜짝 놀랐다. 모닥불이 꺼진 것이다.

'매일 잠자기 직전 장작을 아주 많이 넣어두자.'

은찬이가 꺼진 모닥불을 보며 생각했다. 불은 꺼졌지만, 불씨는 살아있었다. 은찬이는 마른 풀을 꺼진 모닥불 위에 올려놓고 바람을 불었다. 얼마 안 가 마른풀에 다시 불이 붙었다.

은찬이는 모닥불에 장작을 넣고 가방을 멨다.

나가기 전 오렌지를 먹었다. 오렌지는 여전히 달콤했다.

불시착했을 때 바다에 게랑 조개가 엄청 많았다. 고둥도 있었는데 한 50개 입에 쓸어 넣으면 에너지를 얻을 수 있을 것 같았다. 그보다 물을 구해야 했다. 며칠 동안 오렌지에 든 과즙으로 버텼지만, 영원히 그럴 수는 없었다. 은찬이에게는 생수 2병 밖에 없었다. 물 문제가 시급했다.

다행히 은찬이 가방에 비닐봉지가 4장 있었다. 조종사가 준건데 이렇게 유용하게 쓰일 줄 몰랐다.

물 구하는 법은 생각보다 간단하다. 저번 과학 수업 시간에 했던 것처럼 잎이 많은 식물을 찾아서 잎에 비닐봉지를 묶어두는 것이다. 은찬이는 바로 앞에 있는 나무의 잎에 비닐봉지를 묶었다. 그리고 다시 바닷가로 갔다. 내일 한번 와봐야지 내일쯤 한두 모금 정도의 물이 있을 것이다.

은찬이는 게와 조개를 잡아 빈 플라스틱병에 넣었다. 땅을 조금만 파도 엄청난 양의 조개가 나왔다. 조개를 날것으로 먹으면 비타민을 보충할 수 있다. 그리고 앞으로 조개에 든 소금기로 버텨야 할 것 같았다. 지금 상태에선 소금을 구하기가 어려울 것 같으니까. 그러니 조개는 은찬이에게 훌륭한 자원이었다.

은찬이라는 게들을 더 잡아넣고 조개를 찾기 위해 땅을 팠다.

"남은 물로 조개와 게를 넣고 탕을 끓여 먹어야지"

물론 간을 할 것은 없지만 아주 맛있을 것이다. 끓이면 따듯한 국물은 덤이다. 국물은 따뜻하기도 하지만 영양소도 들어있기 때문이다. 생선은 다음에 먹어야겠다. 지금은 점심은 물론 저녁까지 해결할 조개가 있으니까 말이다.

은찬이는 집으로 가는 도중 잎에 묶어놓은 비닐봉지가 벌써 뿌옇게 변해있는 걸 보았다. 은찬이는 씩 웃으며 다시 집을 향해 걸어갔다. 집으로 가면서 이 바다가 갯벌로 바뀌는 시간을 알아내 갯벌에서도 먹을 걸 찾아내면 좋을 것 같다는 생각이 들었다. 예전에. 갯벌에서 일하는 사촌 집에 간 적이 있었다.

큰아빠가 갯벌에서 잡아 오는 대로 점심을 먹을 거라고 해서 은찬이는 갯벌에 나가 조개와 소라, 게를 많이 잡았던 적이 있었다.

저 갯벌은 아마 먹을 게 많을 것이다. 은찬이는 조만간 갯벌에 가야겠다고 생각하고 집으로 달려갔다. 집으로 와서 모닥불에 땔감을 더 집어넣고 조개와 게를 물에 씻기로 했다. 생수를 한 병만 쓰면 괜찮을 것 같았다. 조개와 게를 씻고 나니 탕을 끓일 물이 없다는 걸 알았다. 그냥 구워 먹어도 맛있을 것 같았다.

"그냥 구워서 먹자. 게 몇 개는 날것으로 먹으면 소금과 비타민도 보충할 수 있겠지. 아~ 게장 먹어 본 지가 언제더라 맛있겠다."

은찬이라는 게를 반으로 잘라 한 입 물었다.

"앗! 짜! 퉤퉤!"

은찬이라는 게를 물에 넣어 놔야 한다고 생각했다. 게뿐만 아니라 조개도 무척 짤 것이다.

"아~ 물이 없는데….."

은찬이는 물을 구하러 가야겠다고 생각했다. 일단 조개는 남은 물을 조금만 써서 담가 놓았다. 나중에 이 물을 끓이면 소금이 생길 것 같았다.

게는 살짝 구멍을 내서 담가 놓았고 조개는 살짝 열어서 담다 놓았다.

은찬이는 물을 구하기 위해 '나의 생존 이야기'를 펼쳤다.

물을 구하는 법
1. 습기 찬 땅을 파본다….
2. 대나무를 자른다….
3. 이것도 저것도 안 될 땐 높은 곳에 올라가 물을 찾는다.

은찬이는 바닷물을 증발시켜 물을 얻고 이 방법을 써보기로 했다. 은찬이는 해변에서 쓰레기를 많이 봤는데 사용한 지 얼마 되지 않은 플라스틱 통이 있었다. 은찬이는 바닷가에 가서 쓰레기를 주워 왔다. 플라스틱 통을 바닷물에 씻고 바닷물을 퍼서 집으로 가져갔다. 플라스틱이지만 일회용도 아니고 약간의 철도 있는 걸 보니 물을 끓여도 녹지는 않을 것 같았다. 은찬이는 나무 기둥을 세운 뒤 비닐을 펴서 고정했다. 그리고 바닷물을 끓였다.

바닷물을 끓이는 동안 은찬이는 조개 하나를 불 속에 넣어 보았다. 조개가 익으면 하나 먹어 보고 소금기가 조금 없어졌다면 지금 점심을 먹을 생각이었다. 물이 끓을 때쯤 조개도 익을 테니 하나 맛을 봐야겠다. 드디어 물이 끓기 시작했다. 은찬이는 나뭇가지로 조개를 꺼내서 맛을 봤다. 조개는 뜨거웠지만 맛있었다. 은찬이는 물을 얻으면 조개와 게구이를 먹을 생각에 신이 났다.

집으로 들어가서 생존책을 읽으며 물이 모이기를 기다렸다.

은찬이는 저녁때 물고기를 한번 잡아봐야겠다고 생각하며 다시 생존책을 읽었다.

얼마 후 은찬이는 물이 얼마나 모였는지 보려고 집 밖으로 나왔다. 바닷물은 거의 다 끓어서 수증기가 되어 비닐에 맺혀 있었다. 비닐에 맺힌 물방울 들은 은찬이가 놓아둔 냄비에 떨어지는 중이었다. 냄비에도 물은 꽤 많이 모여 있었다.

은찬이는 씩 웃으며 물을 구하러 갔다.

'다른 물을 구하고 집에 가면 물이 한가득 고여있겠지?'

은찬이는 기분이 좋아졌다. 먼저 습기 찬 땅을 파 보았는데 물이 조금 나왔다.

"이런 건 가져갈 수 없으니 그 자리에서……."

은찬이는 물을 마셨다. 물은 꽤 시원했다. 이 더운 무인도에서 발견된 것 치고는 말이다.

은찬이는 높은 곳에 올라가 보기로 했다.

저기 멀리 산이 있었다. 은찬이는 산에 올라가기로 했다.

평소라면 등산을 엄청나게 싫어했겠지만, 지금은 이것저것 따질 형편이 아니다. (두 번째 이유는 산이 동네 뒷산보다 낮았다. 올라가는데 10분이면 될 것 같다.)

은찬이는 산을 향해 걸었다. 산이 좀 멀어서 이백 미터는 걸어야 할 것 같았다. 가면서 버섯과 열매를 좀 딸 수 있었다.

어느새 산에 도착했다. 은찬이는 산 정상을 향해 올라갔다. 산에 올라가면서 채집할 게 있는지 봤지만 얻은 건 버섯뿐이었다.

'아까 채집한 버섯과 지금 채집한 버섯은 독버섯일 가능성이 있으니, 물에 넣고 차를 끓여 먹어야겠다.'

은찬이는 꾸준히 올라갔다. 마침내 산 정상에 올랐다.

산 정상에서 바라보는 풍경은 정말 대단했다. 대단하다는 말 밖에 나오지 않았다. 바다도 색이 연하고 예쁘고 은찬이의 집 마당에서는 연기가 올라오고 있었다. 아마도 모닥불에서 나는 연기일 것이다. 은찬이는 집에서 조금 떨어진 거리에 있는 강을 보았다. 집 뒤쪽에서 숲을 지나서 쭉 가면 강을 발견할 수 있다. 은찬이는 여기 오기 전까지는 이런 섬에서 조난 당한다면 할 일이 없을 줄 알았다. 하지만 그것은 잘못된 생각이었다. 지금도 할 일이 산더미처럼 쌓여 있었다. 오히려 지금이 공부하고 학원에 갈 때보다 할 일이 더 많은 것 같았다. 물을 구하고 오늘 저녁에 먹을 음식도 구해야 한다.

일단 지금 강에 가서 물을 통에 담아 집으로 돌아가야 한다. 그리고 집으로 가서 이 물을 끓여서 정수한 다음 먹을 걸 구하러 가야 했다. 끼니마다 조개만 구워 먹으면 영양을 보충하지 못할 것이다. 아! 그리고 독버섯도 끓여야 한다. 끓이면 독성이 사라지니 먹을 수 있을 것이다. 하지만 끓이면 버섯에 있는 비타민과 다른 영양소가 파괴된다. 버섯은 차로 끓여야겠다. 저녁으로 먹을 물고기도 잡아야 했다. 물고기를 잡기 위해서는 작살 아니면 낚싯대가 필요한데 은찬이에게는 칼이 없으므로 나무를 깎아 작살을 만들 수는 없었다.

그러므로 낚싯대를 만들어야 했다. 낚싯대를 만드는 데 필요한 시간은 대략 두 시간에서 세 시간쯤 필요한데 지금 강에서 물을 뜬 뒤 집으로 돌아가서 물을 끓이고 낚싯대를 만든 뒤 물고기를 잡아 와서 차와 함께 마시면 근사할 것 같았다.

집에 있을 때는 이렇게 계획을 짜고 행동하지 않았다. 하지만 이곳에서는 반드시 하루하루를 계획을 짜고 그 계획에 맞도록 생활해야 했다. 그러지 않는다면 여기서 생존할 수 없다. 은찬이는 계획대로 물을 뜨기 위해 강으로 갔다. 여기서 강으로 가려면 산에서 내려와서 앞으로 쭉 가면 된다. 은찬이는 강까지 가면서 주위를 둘러봤지만 아쉽게도 버섯은 찾지 못했다. 하지만 강에 도착했다.

강물은 바로 마셔서는 안 될 것 같았다. 하지만 은찬이는 레이가 물을 얻는 법을 수없이 봐왔다. 은찬이는 강물 주위에 땅을 팠다. 조금 기다리니 물이 모래흙을 통과해서 구덩이에 모이는 게 보였다. 은찬이는 얼른 그 물을 마셨다.

여기서는 물이 보이면 바로 마셔야 한다. 물을 통에 담아 집으로 가져갈 수도 있지만, 은찬이가 판 구덩이는 통이 들어가기에는 너무 작았다. 은찬이는 강물을 통에 한가득 담았다.

끓이거나 모래, 돌, 숯, 나뭇잎 등으로 천연 정수기를 만들어서 이물질을 걸러내는 방법이 있는데 이 두 가지 방법으로 물을 정수하면 된다. 그래서 강물을 집으로 떠가는 것이다.

은찬이는 강물을 뜨고 집으로 돌아갔다. 모닥불에서 나는 연기 덕분에 은찬이는 길을 잃지 않고 집으로 돌아올 수 있었다. 집으로 돌아온 은찬이는 통에 받아온 물을 끓이기 시작했다. 물이 끓으려면 시간이 오래 걸리니 은찬이는 바로 낚싯대를 만들기로 했다. 지금 줄이 없으니, 은찬이는 식물 줄기를 꼬아서 줄을 만들기로 했다. 어제 숲을 돌아다닐 때 아주 길고 줄기도 튼튼한 식물을 많이 보았다. 은찬이는 숲으로 뛰어가 그 식물을 찾았다. 은찬이는 그 식물을 뽑았다.

아마도 낚시하려면 줄의 길이가 이십 미터에서 삼십 미터는 돼야 할 것 같았다. 은찬이는 식물 서른여덟 개를 더 뽑았다. 식물 줄기의 길이가 1.5미터쯤 되니 이정도면 충분히 낚싯줄을 만들 수 있다. 은찬이는 이름 모를 식물의 줄기를 꼬아서 낚싯줄을 만들기 시작했다. 다행히도 은찬이는 학교에서 줄을 꼬아서 더 튼튼한 줄을 만드는 법을 배운 적이 있었다. 세 시간쯤 지나자, 은찬이는 낚싯대를 완성했다. 줄의 길이는 25미터 정도 된다. 중간에 줄이 너무 짧아서 그 식물을 더 꺾어온 것이다.

이제 낚싯바늘을 만들어야 했다. 저번에 찾은 바늘로 낚싯바늘을 만들면 될 것 같았다. 은찬이는 모닥불에 땔감을 더 넣고 바늘을 불에 달궜다. 은찬이는 바늘을 보았다. 바늘은 불에 달궈져 빨개져 있었다. 은찬이는 비행기에서 뜯어온 알루미늄판을 조금 뜯어서 바늘을 감쌌다. 그리고 낚싯바늘 모양으로 구부렸다.

손을 데기도 했지만, 은찬이는 낚싯바늘을 만드는 데 성공했다. 은찬이는 낚싯바늘을 차가운 바닷물에 넣었다.

쇠를 달궜다가 갑자기 냉각시키면 쇠는 매우 단단해진다고 책에 나와 있었다. 은찬이는 낚싯바늘을 낚싯줄에 묶었다.

이제 낚시를 하러 가야 하는데 문제가 하나 있었다.

낚시에 사용할 미끼가 없었다.

'무엇을 미끼로 쓰지?'

은찬이는 마당에 앉아 생각해 보았다.

'지렁이가 있으면 좋은데……. 아니면 동물시체는 없나?'

은찬이는 다시 숲으로 들어갔다. 집을 숲 근처에 지어서 다행이다. 하루에 숲을 엄청 많이 들어가야 하는데 은찬이는 집을 숲 바로 앞에 지어서 숲에 들어가기가 편리했다. 은찬이는 숲으로 들어가 미끼를 찾았다. 미끼로 적합한 건 곤충이나 동물 사체에서 나오는 애벌레다. 물고기를 잡았다면 물고기의 내장을 써도 된다.

은찬이는 주위를 둘러보았다. 어제는 그렇게 많던 벌레가 오늘은 한 마리도 보이지 않았다.

"아~ 어디 벌레 없나?"

그 순간. 은찬이는 주머니에 있는 젤리가 생각났다. 젤리는 아주 달고 과일 맛이 난다. 물고기가 젤리를 먹는지는 모르겠지만 은찬이는 한 번 시도해 보길 했다. 젤리는 비행기에서 먹으려다가 만 과일 맛 젤리였다.

젤리 봉지에는 젤리가 일곱 개쯤 들어있었다. 은찬이는 물고기가 젤리를 먹지 않을 가능성을 대비해 숲에서 미끼를 더 찾기로 했다. 하지만 숲에서는 미끼를 찾지 못했다. 은찬이는 결국 바지락을 미끼로 쓰기로 했다. 젤리도 있으니, 바지락은 한두 개면 될 거다. 은찬이는 바지락을 꺼내서 주머니에 넣었다. 그런 다음 낚싯대를 챙겨서 바다로 갔다.

"집 근처는 내가 조개도 잡고 바다에도 들어가서 물고기가 잘 안 잡힐 거야 물고기들도 진동을 느꼈을 테니까 이십 미터 정도 떨어진 곳에서 하자"

은찬이는 근처에 있는 돌멩이를 집었다. 크기가 은찬이의 주먹 삼분의 일 정도 되어서 무게추로 쓰기 딱 좋다. 돌에서 무게감이 느껴졌다. 이걸 무게추로 쓰면 될 것 같았다. 은찬이는 그 돌멩이를 낚싯대에 묶었다. 그리고 낚싯바늘에 젤리를 끼우고 바다에 던졌다.

은찬이는 낚싯대를 보며 기다렸다. 무언가가 미끼를 물면 바로 낚싯대를 당기면 된다. 은찬이는 주위에 젤리를 던졌다. 떡밥 같은 거다. 던지면 물고기가 주위에 몰려오는 것 말이다.

은찬이는 무언가 무는 것 같아 낚싯대를 들어 올렸지만, 아무것도 없었다. 다시 낚싯대를 던지고 기다렸다. 15분이 지났지만, 은찬이는 계속 기다렸다. 이제 포기해야 싶을 그때! 무언가가 낚싯줄을 당겼다. 그 힘이 엄청나서 은찬이는 낚싯대를 놓칠 뻔했다.

2년 전에도 이런 상황에 놓인 적이 있었다. 은찬이는 아빠와 낚시하러 간 적이 있었다. 은찬이는 물고기가 자신의 미끼를 물어서 은찬이는 낚싯대를 힘껏 당기려고 했다. 하지만 아빠가 은찬이에게 물고기가 힘이 다 빠질 때까지 낚싯대를 잡고 버티라고 했다. 은찬이는 아빠 말대로 낚싯대를 잡고 물고기가 힘이 빠질 때까지 버텼다. 3분간 은찬이와 물고기의 싸움이 시작됐다. 물고기는 계속 날뛰고 은찬이는 물고기가 힘이 빠질 때까지 버텼다. 물고기가 힘이 빠졌는지 발버둥을 치는 힘이 약해졌다. 은찬이는 그때를 놓치지 않고 낚싯대를 당겨서 물고기를 잡았다. 처음 잡는 물고기는 정말 맛있었다. 그날 잡았던 물고기가 정확히 무슨 종인지는 기억이 나지 않지만, 송어 같았다.

　지금도 그때와 비슷했다. 바닷가, 햇볕, 물고기….
　하지만 아빠는 여기 없었다. 하지만.
　"아빠가 가르쳐준 방법은 쓸 수 있지!"
　은찬이는 아빠가 알려준 방법대로 은찬이는 물고기가 힘이 빠질 때까지 계속 낚싯대를 잡고 있었다. 이번 물고기는 저번보다 힘이 셌다. 은찬이는 물고기가 도망을 가지 못하도록 물고기가 도망칠 때마다 역방향으로 당겼다. 은찬이는 물고기가 힘이 빠지는 것을 느끼고… 낚싯대를 들어 올렸다. 예전에 아빠와 잡았던 물고기보다 더 크고 더 무거웠지만, 은찬이는 물고기를 들어 올리는 데 성공했다. 물고기는 정말 거대했다. 은찬이의 몸 크기보다 살짝 작았다. 사분의 일 정도만 먹고 나머지는 아꼈다가 내일 먹으면 될 것이다.

　은찬이는 집으로 당당하게 걸어갔다. 물고기가 너무 커서 은찬이는 꼭 부자가 된 것 같았다. 꼭 세상을 다 가진 것 같았다. 은찬이는 물고기를 구우려다 멈칫했다. 구우면 아까운 영양소가 파괴되고 살에 있는 수분도 날아간다. 물론 음식을 날것으로 먹는 건 위험하지만 은찬이가 사는 집 근처만 해도 회를 파는 식당이 있고 간장게장 맛집이 있지 않은가?

은찬이는 회를 엄청나게 좋아하고 부모님도 회를 좋아해서 회를 먹으러 자주 간다. 그래서 은찬이는 회를 뜨는 법도 그럭저럭 알고 있었다. 은찬이는 오늘 저녁은 이 물고기를 회로 만들어 먹기로 했다. 일단 은찬이는 물고기를 손질하는 법을 익히기 위해 생존책을 들고 왔다.

물고기를 손질하는 법은 지느러미를 자르고 비늘을 제거한다. 그다음 배를 가르고 내장을 꺼낸다. (내장이 가장 먼저 상하기 때문이다) 그다음 가시 뼈를 따라 칼을 넣어 자른다. (은찬이는 칼이 없으므로 날카롭게 부서진 알루미늄을 이용할 예정이다.)

은찬이는 생선을 손질하기 시작했다. 내장을 꺼낼 때 살짝 역겨웠지만, 그것만 빼면 꽤 훌륭했다. 은찬이는 내장을 멀리 파묻기 위해 내장을 가지고 집 밖으로 났다. 내장에 엄청난 벌레가 꼬이기 때문에 은찬이는 내장을 200미터 멀리에 내장을 깊이 묻고 왔다. 은찬이는 손질한 고기를 회로 먹었다. 초장은 없지만, 은찬이는 회를 아주 맛있게 먹었다. 남은 건 모닥불 바로 위에 매달아 놓았다. 훈제로 만들어서 저장하기 위해서다.

훈제를 만드는 방법은 음식을 손질한 다음 모닥불 위에 올려놓으면 된다. 내일 자고 일어나면 보름 정도는 보관이 가능해진다. 보름 정도 보관이 가능하다면 분명 그전에 구조대가 올 것이다. 저 생선을 엄청나게 아껴서 먹으면 보름 동안 먹을 수 있을 거다. 그리고 은찬이는 저 생선뿐만 아니라 다른 음식도 많이 구할 수 있을 거다.

그러니 구조대가 올 동안 은찬이는 살아남을 수 있을 거다. 그리고 구조대는 비행기가 도착하지 않은 걸 알고 있을 거다.

'한국에서 미국으로 가는 비행기가 도착하지 않았다는 건 당연히 알 거야. 9.11 테러 이후 미국의 항공 보안이 엄격하게 강화되었으니까. 비행기가 한국에서 출발했지만, 미국에 도착하지 않았으니 두 나라는 구조대를 보내서 나와 조종사 아저씨를 찾을 거야 비행기의 최대속력을 이용해 추락한 지점의 예상 범위를 지정해서 수색 작업을 펼칠 거야'

그러니 은찬이는 내일부터 구조 신호를 만들어야 했다.

'연기뿐만 아니라 큰 돌멩이로 SOS를 만들고 섬 반대편에도 SOS나 HELP 등을 표시해서 구조 신호를 만들자'

그리고 횃불을 만들어 바닷가에 꽂아놓으면 될 것 같았다.

은찬이는 내일 구조 신호를 생각하며 잠이 들었다.

구조 신호를 만들어라.

은찬이는 일어나서 생선을 확인해 보았다.

생선은 저번에 고급 뷔페에서 먹은 훈제 요리처럼 스모크향이 났다. 아무래도 연기가 잘 입혀진 것 같았다.

은찬이는 훈제 생선을 조금 뜯어서 먹어 보았다. 훈제 요리는 그냥 먹어도 맛있었다. 훈제 요리를 집 안으로 옮기고 물을 마신 뒤 숲으로 걸어갔다. 여기서 섬 반대편까지는 걸어서 30분 정도 걸린다. 저번의 산에서 봤을 때 거리가 좀 있었다. 섬 반대편에 SOS를 그리고 돌아와서 훈제 요리를 먹고 오늘은 무기를 하나 만들 생각이었다.

그동안 아무 걱정도 하지 않고 숲에 들어가고 낚시했는데 따지고 보니 여기에는 맹수가 엄청 많을 것 같았다.

집에 아주 날카로운 알루미늄판이 있어서 그걸로 창이나 몽둥이 같은 걸 만들어서 가지고 다니면 될 것이다.

은찬이는 꾸준히 걸었다. 걷다가 나무 열매가 있어서 나무 열매를 주머니에 넣었다.

생각해 보니 오늘은 할 일이 너무 많았다. 먼저 물을 더 구해야 하고 오늘도 먹을 걸 구해야 했다.

언제 구조될지 모르는데 계속 비상식량인 훈제 요리를 먹는건 현명하지 못한 것 같았다. 그리고 모닥불 땔감을 더 구해야 했다. 땔감이 1제곱미터 정도 있어서 땔감 걱정은 없을 줄 알았는데 생각보다 땔감이 많이 필요하다. 숲에서 땔감도 구해야 한다.

'땔감을 먼저 구해야 해 비가 이렇게 오지 않는다는 건 곳비가 올 수도 있다는 건데 비가 오기 전에 마른 땔감을 찾아야 해 그리고 구조 신호를 만드는 거야 구조 신호는 이 섬여러 군데에 설치하자. 그리고 물을 구하고 음식을 더 구하자. 저녁을 먹고 어두워지면 위험하니까 집 안에서 무기를 하나만들고 생존책을 읽다가 잠드는 거야 이거 생각보다 할 일이 많네…'

오늘 할 일을 생각하며 걷다 보니 어느새 은찬이는 바닷가에 있었다. 은찬이는 돌과 나뭇가지로 SOS를 그리고 나무를 놔뒀다. 그리고 축축한 이끼를 나무 위에 올렸다. 이러면 불이 붙었을 때 연기가 더 잘 나게 된다. 은찬이는 다시 집으로 뛰어갔다. 뛰어서 집으로 가니 15분 정도 걸렸다.

은찬이는 길이가 1.3미터 정도 되는 나무를 가져와서 땅에 꽂은 뒤 불을 붙였다. 횃불을 만드는 것이다. 이러면 어두울 때 주위를 환하게 바꿀 수 있고 비행기나 배가 빛을 보게 돼서 밤에도 구조될 수 있을 것이다. 은찬이는 마당 둘레에 뾰족한 나무를 꽂았다. 그리고 입구에는 양쪽에 횃불을 두고 마당에도 횃불을 두었다. 이러면 맹수들이 들어오지 못할 것이다.

그리고 비행기로 가서 끙끙거리며 알루미늄판을 엄청 많이 뜯어왔다. 뜯다가 손을 베였다. 은찬이는 마당으로 들어가 집 입구를 알루미늄판으로 덮었다. 이러면 웬만한 맹수는 들어오지 못할 것이다. 은찬이는 바닷가에 낚시하러 갔다.

이번에는 저번처럼 큰 물고기는 잡지 못했지만, 한 끼 식사로 충분한 물고기를 4마리나 잡았다. 한 마리는 오늘 저녁으로 먹고 나머지는 훈제로 만들어서 저장할 것이다.

매일 음식을 구할 수 있음에도 음식을 저장하는 이유는 혹시 먹을 걸 구하지 못했거나 다쳐서 사냥을 나가지 못하면 먹으려고 아껴두는 것이다. 그리고 아침이나 점심은 훈제 요리로 때우는 것이 편했기 때문이다.

은찬이는 집으로 와서 생선을 손질하고 한 마리는 불에 구웠다. 나머지 3마리는 마찬가지로 손질하고 불 위에 매달아 놓았다. 은찬이는 마지막 땔감을 모닥불에 넣고 생선을 먹었다.

'밥이 있었으면 좋았을 텐데'

이것도 맛있지만 뭔가 아쉬웠다. 은찬이는 물고기를 다 먹고 남은 쓰레기를 바다에 던져 버리고 바닷물로 손을 씻었다. 맹수가 냄새를 맡아서 여기에 오는 일은 없도록 하기 위해서다.

저녁을 먹고 나니 해가 지고 있었다. 은찬이는 얼른 땔감으로 사용할 나무와 무기로 만들 나무를 구해 집으로 왔다. 땔감은 마당에 두고 은찬이는 집으로 들어와서 무기를 만들기 시작했다. 기다란 나무는 한쪽 끝을 뾰족하게 깎아서 창을 만들었다. 나무 봉은 그냥 곤봉으로 쓰기로 했다. 그리고 동물을 겁주기 위해 볼 붙임용 나무를 하나 만들었다.

무기를 만들고 은찬이는 생존책을 읽으며 잠들었다.

다음날 은찬이는 일어나서 모닥불에 땔감을 더 집어넣었다. 그다음 어제 모닥불 위에 놔둔 훈제 요리는 집 안에 넣었다. 그리고 큰 물고기를 먹었다. 아침은 구하러 나가기보다는 훈제 요리로 때우는 것이 정말 편하다. 굳이 음식을 구하러 나갈 필요도 없고 집에서 간편하게 먹을 수 있기 때문이다. 오늘은 생각보다 날이 흐렸다. 비가 올 것 같아서 은찬이는 알루미늄판으로 지붕을 만들어서 모닥불에 씌웠다. 지붕이 엄청

넓어서 모닥불이 꺼지지는 않을 것 같았다. 마치 모닥불 위에 지붕을 씌우기를 기다렸다는 듯 비가 내리기 시작했다. 비는 폭우처럼 쏟아져 내렸다.

은찬이는 얼른 비닐과 냄비에 물을 받았다. 여기가 어딘지는 모르겠지만 태평양에 있는 섬일 거다. 빗물은 깨끗하니까 바로 마셔도 된다. 여기는 공기가 좋으니까. 물을 바로 마셔도 될 것이다.

물을 마시고 은찬이는 집으로 들어가면서 지렁이를 발견했다. 은찬이는 통에 지렁이 몇 마리를 흙과 같이 넣었다.

지렁이를 낚시할 때 미끼로 쓰면 정말 좋을 것 같았다.

오늘은 집에서 쉬기로 했다. 비가 오는 날이라 할 일도 없고 그동안 열심히 살았으니, 오늘은 생존책을 읽으며 쉬기로 했다. 이미 땔감들을 집 안으로 옮겨 놓았으니 다행이다. 힘들게 구한 땔감이 다 젖어 버리면 정말 큰일 나기 때문이다.

오랜만에 쉬는 것 같았다. 생존책을 챙겨서 다행이다.

생존책을 챙겨오지 않았다면…….

정말 끔찍했다. 생존책을 챙겨오지 않았다면 지금쯤 은찬이는 아마 죽었을지도 모른다. 은찬이는 생존책에 감사함을 느끼며 다시 생존책을 읽기 시작했다.

한참을 읽으니 어느새 책을 다 읽고 말았다.

"이제 뭐 하지?"

무인도에서 비가 오니 정말 할 일이 없었다.

"잠이나 잘까?"

그러기에는 시간이 너무 일렀다. 일어난 지 6시간도 안 된 것 같으니, 지금은 아마 1시에서 2시 정도 될 것이다.

"나가서 먹을 거나 찾을까?"

밖은 비가 쏟아지고 있었다. 지금 나가면 몸이 홀딱 젖어 버리고 말 거다. 젖은 옷을 입고 있으면 감기에 걸린다. 여기서 아프면 끝장이다. 도움을 받기도 전에 죽을 것이다.

"진짜 뭐하지?"

너무 할 일이 없었다. 은찬이는 레이가 생존의 적중 하나는 지루함이라고 말했는데 은찬이는 그 말을 진지하게 받아들이지 않았다. 하지만 무인도에서 생존하고 나니 지루함은 정말 커다란 강적 같았다. 배고픔과 목마름, 임시거처 세 가지를 해결했으니 이제 생존하면 될 것 같았는데 지루하면 정말 아무것도 하지 못한다는 걸 깨달았다.

어서 할 일을 생각해야 했다.

횃불이 꺼졌을 거다. 하지만 비가 그치기 전에는 횃불을 다시 만들 수 없다. 먹을 것도 구할 수 없고 정말 아무것도 할 수 없었다. 은찬이는 집안을 둘러보다가 어제 만든 무기를 보았고….

"그래! 그거야!"

은찬이는 무기를 더 만들기로 했다. 무기는 많을수록 좋으니, 무기를 더 만든다고 나쁠 건 없으니.

아니다. 무기를 더 만들면 오히려 좋다.

은찬이는 활을 만들기로 했다.

활이 있다면 작은 토끼나 새 같은 동물들을 쉽게 사냥할 수 있을 것이다.

아직 동물들을 사냥해 보지 않아서 동물을 사냥하는 것이 어려운지는 잘 모르겠지만 활이 있다면 분명 동물을 더 쉽게 잡을 수 있을 것이다.

은찬이는 활을 만들기 위해 탄력이 아주 좋은 버드나무를 준비했다.

"줄은 뭘 쓰지?"

반짇고리 세트에 실이 있지만, 고무처럼 늘어나지 않아서 화살을 발사하기는 힘들 것 같았다. 좀 더 탄력이 강한 걸 찾아야 했다.

"아! 그래!"

은찬이는 반짇고리 세트에서 가위를 꺼낸 뒤 티셔츠의 아래쪽 끝부분을 자르기 시작했다. 이 옷은 활에 쓸 줄로 충분할 것이다. 옷이 너무 커서 잘라도 입을 수 있었다. 이걸로 준비는 끝났다. 은찬이는 활을 만들기 시작했다.

탄력 좋은 버드나무를 구부린 뒤 양쪽 끝부분에 줄을 묶었다. 그런 다음 모닥불에 가서 활의 양쪽 끝부분을 불에 지져서 고정했다. 이걸로 활 만들기는 끝났다.

활을 만들고 화살을 만들어야 하는데 날카로운 돌로 화살촉을 만들면 좋겠지만 지금은 비가 오고 있었다. 은찬이는 밖으로 나가 보았다.

비가 오고는 있는데 하늘도 맑아졌고 비도 아까보단 덜 내렸다. 비가 곧 그칠 것 같았다. 은찬이는 집에 들어가서 화살을 조금 만들었다. 화살촉을 만들 돌이 없으니 화살 한쪽 끝부분을 뾰족하게 깎았다. 이걸로도 부족한 것 같아서 더 깊고 뾰족하게 깎았다.

이렇게 화살 3개를 만든 뒤 밖으로 나갔다.

비가 아주 조금 내리고 있었다. 비가 거의 그친 것 같았다. 은찬이는 활시위를 당겨 활을 발사해 보았다. 활을 간편하게 만든 것 치고는 상당히 잘 날아갔다. 화살에 깃털만 붙이면 조준한 곳으로 빠르게 나갈 것 같았다.

은찬이는 창을 챙기고 돌을 구하러 갔다. 숲에는 돌이 아주 많이 있었다. 크기가 적당한 돌을 깎아서 쓰면 화살촉으로 쓸 수 있으니 크기가 적당한 돌은 챙겼다. 크기가 커서 도저히 쓸 수 없는 돌도 챙겼다. 비가 와서 은찬이가 바닷가에 그린 구조 신호가 거의 사라졌는데 이런 돌로 SOS를 그리면 사라질 일이 없으니 이걸로 SOS 만들면 될 것이다.

은찬이는 집으로 발걸음을 옮겼다. 그 순간.

무언가가 소리를 냈다. 은찬이는 얼른 창을 꺼내 들었다. 곰이나 늑대는 아닌 것 같았다. 곰이나 늑대가 이런 식으로 소리를 내지는 않을 것이다.

"거기 누구야!"

은찬이가 말했다.

풀숲에서 너구리가 튀어나왔다. 대부분 사람이 너구리는 껌이라고 생각하거나 너구리가 사람을 무서워한다고 생각하는데 실제로 너구리에게 공격당해 사망한 사람이 있을 정도로 너구리가 강하다.

은찬이는 레이가 늑대를 만났을 때를 떠올렸다.

레이는 평상시에는 도망치지만, 생존 중일 때는 늑대와 싸운다. 무기를 크게 흔들며 고함을 지르고 무서운 눈으로 늑대를 노려보았다. 팔을 벌리고 고함을 지르고 무기로 있는 힘껏 때리기도 했다. 그러면 늑대는 겁을 먹고 도망쳤다.

은찬이는 너구리를 노려보았다. 도망칠까, 생각도 했지만 도망쳐도 금방 잡힐 것이다. 은찬이는 창을 휘두르며 공격을 피할 준비를 했다. 여기서 다치면 정말 죽을 수도 있다. 여기는 소독약도 없고 비누도 없어서 상처를 소독하지 못해 감염되고 큰 상처를 입으면 그 자리에서 죽을 수도 있다. 은찬이는 소리를 지르고 창을 마구 휘두르며 자리에서 점프했다.

"저리 가! 저리 가라고! 으아!"

은찬이는 고함을 질렀다.

너구리는 겁을 먹는 것 같았지만 도망가지는 않았다. 은찬이는 돌멩이를 꺼내 너구리에게 던졌다. 그리고 창을 휘두르고 발길질했다. 그리고 고함을 질렀다.

너구리는 은찬이를 한 번 물려고 했지만 실패했다. 그리고는 도망갔다.

"내가 너구리를 이겼다! 나이스!"

은찬이는 흥분해서 집에 도착할 때까지 진정하지 못했다.

아직 비가 아주 조금 내리고 있었으므로 은찬이는 집으로 가서 주워 온 돌로 화살을 더 만들었다. 화살은 돌을 최대한 작게 만들어서 무게를 줄인 뒤 최대한 뾰족하게 만들었다. 이런 화살을 13개 정도 만들었다. 화살을 다 만드니 비가 그쳤다.

은찬이는 빗물을 받아놓은 통과 비닐봉지를 집으로 옮긴 뒤 활을 쏴 보았다. 돌로 만든 화살은 위력이 상당했다. 깃털만 붙이면 완벽할 것 같았다. 하지만 깃털을 붙이려면 새를 잡아야 하는데 그 말은 한두 번쯤은 깃털이 없는 활이나 몽둥이,

돌멩이로 새를 잡아야 한다는 뜻이다.

은찬이는 주워 온 돌멩이로 바닷가에 아주 큰 SOS를 그렸다. 이러면 웬만한 비행기에서는 이 SOS가 보일 것이다. 그리고 혹시 오늘 배가 지나갈까, 싶어서 SOS 옆에 불도 피웠다. 연기가 피어올랐다. 이정도 연기면 저 멀리 있는 배에서도 이 연기를 볼 수 있을 것이다.

구조 신호를 다 만들고 횃불에 불을 다시 붙였다. 모닥불에서 불을 옮겨서 붙이면 되니 정말 쉬웠다.

"횃불을 조금 더 만들까?"

횃불을 더 만들면 좋은 점이 많을 것이다.

은찬이가 낚시하러 가는 곳이랑 숲에서 산까지 가는 길 등에 횃불을 두면 길을 잃을 일도 없고 동물들이 공격해 온다면 횃불에 있는 불로 동물을 겁주면 될 것이다.

단점은 횃불이 꺼질 때마다 (주로 10시간에 한 번) 다시 불을 붙여야 한다는 점이고 너무 귀찮다. 할 일이 아주 많은데 횃불을 계속 붙이는 건 시간에 영향을 줄 수 있기 때문이다.

고민하다 보니 저녁을 먹을 시간이 되었다.

은찬이는 작은 훈제 물고기를 단숨에 먹어 치웠다. 그리고 낚시를 해서 물고기를 잡아 와서 회로 먹었다. 요즘 먹지 못한 비타민을 섭취해야 하기 때문이다. 저녁으로 생선 두 마리를 먹으니 배가 든든했다.

　은찬이는 모닥불에 땔감을 넣고 생존책을 읽으며 저녁을 보냈다. 조금 있다가 창을 조금 더 깎고 몽둥이를 점검했다. 아까 너구리와 싸우느라 창이 살짝 달아져 있었다.

　무기를 전부 점검한 뒤 은찬이는 잠들었다.

오랜만에 먹는 고기

은찬이는 아침 늦게 일어났다. 그리고 훈제 생선을 한 줌 먹었다. 오늘은 동물을 사냥하기로 했다.

'잘하면 토끼 같은 동물을 먹을 수 있지 않을까?'

은찬이는 물을 마시고 무기를 챙겨서 집을 나섰다.

이곳에는 숲 뒤에 큰 평원이 있다. 은찬이는 평원으로 갔다. 예상대로 평원에는 토끼가 있었다.

"활로 잡을까? 돌을 던져서 잡을까?"

활을 쓰기로 했다. 은찬이는 활을 꺼내 활시위를 당겼다.

"피융!"

화살이 빗나갔다. 그리고 토끼는 놀라서 도망갔다. 은찬이는 토끼를 쫓으려다 멈췄다.

토끼는 아주 빠른데 은찬이가 쫓아가 봤자 놓치고 말 거다.

레이는 항상 식량을 구할 때 욕심을 부리지 말라고 했다.

레이 말이 맞았다. 지금 저 토끼를 쫓다가 힘이 빠지면 다른 동물을 사냥하지 못할 수도 있다. 저 토끼는 포기하고 다른 토끼를 찾기로 했다.

은찬이는 두 번째 토끼가 오는 걸 보았다. 다시 한번 활시위를 당겼다.

"피 융~"

화살이 토끼의 몸에 박혔다. 토끼는 죽지는 않았지만 다친 건 확실했다. 은찬이는 토끼를 쫓아갔다. 토끼는 다쳐서 그런지 그렇게 빠르지 않았다. 은찬이는 토끼를 돌로 내려찍었다. 토끼를 잡는 데 성공했다.

귀여운 토끼를 죽이는 것은 정말 힘들었지만, 생존을 위해서라면 어쩔 수 없었다. 드디어 동물 사냥에 성공했다.

은찬이는 화살을 수거하고 토끼를 집어 든 뒤 집으로 달려갔다.

집으로 가서 토끼를 모닥불 앞에 내려놓고 생존책에서 동물 손질하는 법을 찾았다.

하지만 동물 손질법은 2권에서 다룬다고 나와 있었다. 동물 손질을 할 수 없이 정보를 얻지 못하고 해야 할 것 같았다.

은찬이는 토끼의 가죽을 벗겼다.

"웩!"

가죽을 벗기자 고기가 드러났다. 일단 배를 갈라 내장을 꺼내고 물에 깨끗이 씻었다. 그리고 내장을 그냥 버리기에는 아까우니 고기를 집에 놔두고 낚시를 하러 갔다. 내장은 정말 좋은 미끼인 것 같았다. 고기가 걸렸다. 은찬이는 낚싯줄을 잡아당겼다. 크기가 굴비 정도 되는 물고기가 잡혔다. 지금까지 고기를 끓여 먹거나 훈제로 만들어 먹었다. 물론 그것도 맛있지만, 집에서 먹던 생선구이나 구운 고기가 그리웠다.

집에 식량은 많으니 오늘의 점심은 생선구이와 토끼고기다. 토끼고기와 생선구이를 먹을 생각에 은찬이는 신이 나서 집으로 갔다. 가는 길에 땔감으로 쓸 나무와 무기나 도구를 만들기 좋은 버드나무를 주워 집으로 갔다.

집에 와서 토끼고기를 먹을 만큼만 잘라내고 나머지는 모닥불 위에 매달아서 훈제로 만들 것이다. 그리고 먹을 토끼고기를 집어서 냄새나는 부위를 살짝 도려낸 뒤 나무막대에 꽂고 모닥불 양쪽에도 Y자 모양 나뭇가지를 꽂고 그 위에 토끼고기를 올려놓으면 고정 성공이다. 고기를 굽는 동안 할 일이 얼마나 많은데 내내 고기를 들고 돌릴 수는 없으니 이렇게 고정해 놓고 할 일을 하다가 가끔 돌려주면 된다.

은찬이는 토끼고기가 구워지는 동안 생선도 똑같은 방법으로 고정하고 고기와 생선이 구워지는 동안 모닥불 앞에 앉아서 화살을 조금 더 만들었다.

어느새 집 마당에는 고기와 생선이 구워지는 냄새로 가득 찼다. 정말 냄새만 맡아도 맛을 알 수 있을 것 같았다.

문제는 이 냄새를 은찬이뿐만 아니라 이 섬 어딘가에 있는 포식자들도 이 냄새를 맡을 수 있다는 거였다. 늑대는 몇 킬로미터 떨어진 곳에 있는 사냥감의 냄새를 맡을 수 있고 곰이나 여우도 후각이 뛰어나다.

그러니 은찬이는 이 맛있는 음식을 얼른 먹어 치우고 집에서 최소 600m는 떨어진 곳에 남은 뼈 등을 버리고 손을 깨끗이 씻은 뒤 집 마당에 연기를 피워서 냄새를 지워야 한다.

생각하는 사이 고기가 익은 것 같았다. 은찬이는 고기를 아주 살짝 뜯어서 먹어 보았다. 고기는 맛있었지만 조금 더 익혀야 할 것 같았다. 은찬이는 고기에서 흘러내리는 기름을 받았다.

그런 뒤 평소 칼로 쓰는 알루미늄 조각에 기름을 잔뜩 바른 뒤 불을 붙였다. 기름에 불에 붙었다가 조금 있으니 꺼졌다. 이렇게 불로 칼을 소독해 준 뒤, 고기와 생선에 작은 칼집을 냈다. 고기가 너무 두꺼워서 이렇게 해줘야 고기가 잘 익을 것 같았다. 다시 고기를 익히면서 화살을 좀 더 만들었다. 이제 화살이 스무 개 정도 되었다.

이쯤 되니 화살을 보관용 통을 만들어 사냥하러 갈 때마다 메고 다니면 편할 것 같았다.

화살집은 나중에 만들고 지금은 다시 화살을 만드는 데 집중했다. 화살을 만들며 고기와 생선을 돌리는 것도 잊지 않았다. 화살을 만들다 보니 어느새 고기와 생선이 익었다. 은찬이는 토끼고기부터 한 입 먹어 보았다. 오랜만에 고기를 먹으니 고기가 집에서 먹었던 것보다 두 배는 맛있게 느껴졌다. 여기에 물까지 가져오니 정말 인증사진을 찍어서 SNS에 올리고 싶었다. 아마 이 순간을 평생 잊지 못할 것이다.

무인도에서 조난되고 첫 고기를 먹는 순간. 정말 말로 표현할 수 없을 만큼 행복했다.

다음은 생선구이다. 은찬이는 생선도 조금 뜯어서 먹어 보았다. 생선구이 특유의 짠맛과 부드러운 생선 살의 조합! 여기에 밥이 있지 않은 것이 정말 아쉬웠다. 밥이 있었다면 이 생선으로 밥 크게 한 공기는 뚝딱이었을 것이다. 그리고 이 토끼고기까지 더하면 밥을 크게 네 공기는 뚝딱했을 것이다.

은찬이는 생전 처음으로 고기와 생선을 먹는 것처럼 맛있게 고기와 생선을 먹기 시작했다. 한 번 먹기 시작하니 멈출 수가 없었다. 정말 최고의 식사였다. 오랜만에 먹는 고기. 이 맛을 평생 잊지 못할 거다. 그리고 엄청난 식감과 맛을 보유한 생선구이!

"이야~! 이게 얼마 만에 고기냐! 너무 맛있어! 아마 이것보다 맛있는 고기와 생선은 이 세상에 없을 거야!"

고기와 생선을 다 먹고 남은 뼈를 아주 멀리 있는 바닷가에 가서 던져버렸다. 이렇게 냄새를 지워야 한다. 손을 씻고 세수를 했다. 그리고 집으로 돌아가서 모닥불에 아주 조금 물을 부어서 엄청난 연기를 만들었다. 연기를 발생시켜서 냄새를 지우려는 것이다.

그리고 집에 들어가서 알루미늄판으로 화살집을 만들었다. 알루미늄을 불에 달군 뒤 조심히 구부려서 모양을 만들고 줄을 달기 위해 조그만 홈을 내준 뒤 차가운 물에 담가서 쇠를 더 단단하게 만들었다. 그리고 반짇고리 세트에서 실을 꺼낸 뒤 꼬아서 하나로 만들었다. 그 줄을 홈에 끼운 다음 양쪽을 묶어 원 모양을 만든 뒤 가방을 메듯 어깨에 둘렀다. 금속으로 만들었지만, 매우 가벼웠다.

은찬이는 새로 만든 화살집에 화살을 꽂아 보았다. 화살은 14개까지 보관할 수 있었다. 나머지 화살을 집에다가 놔뒀다. 혹시 화살집을 잃어버리거나 화살이 부서지는 경우를 대비해서 여분으로 몇 개를 놔두는 것이다.

"음~ 영화를 보면 주인공들은 이런 상황에서도 훈련을 잊지 않는단 말이야. 나도 훈련장을 만들어야겠어!"

그렇게 은찬이는 훈련장을 만들기로 했다.

훈련장을 만드는 건 어렵지 않았다. 그저 만드는 데 시간이 조금 오래 걸릴 뿐이다.

활 훈련장을 만들기로 했다.

마당에서 기본적인 운동 (팔굽혀펴기, 윗몸 일으키기 등)은 할 수 있지만, 화살을 쏘려면 공간이 부족해서 훈련장을 따로 만들어야 할 것 같았다.

만드는 데 걸리는 시간은 3일로 잡을 것이다.

8시간 정도면 만들 수 있지만 사냥도 해야 하고 낚시도 해야 하는데 하루 만에는 만들 수 없을 것 같았기 때문이다. 그냥 할 일을 하면서 시간이 나는 대로 천천히 만들 생각이다.

공사는 내일부터 시작할 거고 오늘은 잠시 쉬기로 했다.

"집에 가서 낮잠이나 자야지~ 그동안 너무 힘들게 일했으니 나는 쉴 자격이 있어. 가서 잠을 푹 자고 일어나서 저녁을 먹으면 멋질 거야!"

집 안에 들어가기 전 모닥불에 장작을 더 넣었다. 잠을 잘 때는 체온 조절이 더욱 어려워지는데 불이 꺼지면 저체온증으로 위험해질 수 있으므로 잠을 자기 전에는 모닥불에 장작을 넣는 습관을 길러야 했다.

"아~ 이제 한숨 자야지! 잠을 자면 스트레스도 해소되고 생존할 힘이 생긴다고 레이가 말했지."

그러고는 나뭇잎 위에 누워 곯아 터졌다.

몇 시간 후 은찬이는 천국 같은 낮잠을 끝마쳤다.

확실히 잠을 보충하니 피로가 풀리고 기분이 좋아지는 것이 느껴졌다. 잠을 자길 잘했다.

은찬이는 자기 자신이 그동안 스트레스를 받고 있었다는 걸 깨달았다. 자신은 생존을 좋아하고 며칠쯤 있어 보니 여기에서도 생존할 수 있다는 점이 기뻤다.

하지만 마음속 깊은 곳에서는 구조되지 못할 거라는 불안감, 매일매일 일어나는 사고, 자신이 구조대가 올 때까지 버티지 못할 거라는 공포. 이것들에 의해서 스트레스를 받고 두려움이 자신도 모르게 커지고 있었다. 이런 점들을 극복해야 했다.

"나는 구조될 수 있어 그게 내일일 수도 있고 모래일 수도 있고 한 달 후일 수도 있고 일 년 후일 수도 있지만 나는 그것을 견뎌낼 수 있을 거야. 모든 것이 잘될 거야."

구조되지 못할 수도 있지만 그래도 희망을 잃지 말아야 했다. 혹시 이러다 구조대가 올지 어떻게 알겠는가?

은찬이는 집 밖으로 나와서 물에 담가놓은 조개를 모닥불 속에 넣어 두었다. 20분 정도면 익을 것이다.

은찬이는 집 밖으로 나가서 횃불에 다시 불을 붙이고 (점점 어두워지고 있었다) 나무를 한 묶음 구해왔다. 나무를 집에다가 두고 먹을 걸 구하러 갔다. 숲에서 애벌레 두 마리밖에 찾지 못했지만, 애벌레는 영양가가 아주 많은 음식이다. 애벌레하나는 그냥 먹었다. 맛이 아무 형편 없었지만, 영양가를 보충했다. 하나는 구워서 먹어 보았다. 아주 맛있었다. 양념이 있었으면 더 좋았을 텐데…….

은찬이는 애벌레와 어제 잡은 생선을 먹고 화살 훈련장 공사를 시작했다. 그냥 오늘부터 공사를 하기로 했다. 평소 같으면 그냥 일찍 잠자리에 들었을 텐데 아까 낮잠을 자서 별로 졸리지 않았다.

활 훈련장은 과녁만 만들면 된다. 울타리는 너무 오래 걸리고 귀찮아서 만들지 않기로 했다. 나무를 베야 하는데 도끼가 없었다. 어쩔 수 없다. 오늘은 자기 전까지 도끼를 만들고 내일부터 공사를 하기로 했다.

도끼를 만드는 법은 아주 간단하다.

은찬이의 경우는 굵은 나무 막대기나 나무 봉을 손잡이로 쓰고 돌이나 알루미늄판으로 날을 만들면 될 것 같았다. 도끼날은 돌로 만들기로 했다. 알루미늄으로 도끼날을 만들면 아마 도끼날이 망가질 것이다. 알루미늄은 그렇게 튼튼하지 않으니 말이다.

이제 하늘이 슬슬 어두워지고 있었다. 완전히 어두워지기전에 도끼를 만들 재료를 찾고 서둘러 집으로 돌아와야 했다.

은찬이는 횃불을 챙겼다. 곧 어두워져서 앞이 안 보일 수도 있기 때문이다. 집을 나와서 돌을 찾았다.

생존책에서 도끼를 만들 때 돌의 종류는 깨질 때 날카롭게 깨지는 석영이나 흑요석이 좋다고 나와 있었다. 석영과 흑요석이 어떻게 생겼는지 모르지만 날카롭게 깨진 돌이나 조금 큰 돌을 찾아서 깨보면 된다.

은찬이는 돌을 찾아서 숲을 걷기 시작했다. 개똥도 약으로 쓰려면 없다더니 어제만 해도 그 많던 날카로운 돌이 오늘은 하나도 보이지 않았다.

"어제만 해도 날카로운 돌이 엄청 많았는데…."

정말 그 많은 날카로운 돌들은 어디로 갔을까?

이건 정말 이상했다.

'어두워서 보이지 않는 걸까?'

날카로운 돌은 보이지 않았으므로 은찬이는 그럭저럭 날카로운 돌과 크기가 큰 돌을 가지고 집으로 돌아왔다.

먼저 큰 돌을 부숴 보았다. 제법 날카롭게 깨졌지만, 아직 돌이 많으므로 일단 후보로 두었다.

나머지 돌 중에서 날카로운 것들은 고르고 손잡이로 사용할 굵은 나무막대에 돌을 올려놓고 끈으로 단단히 묶었다. 은찬이는 끈으로 돌과 손잡이를 단단하게 고정한 후 한 번 더 묶었다.

이렇게 도끼가 완성되었다. 도끼를 휘둘러 보았지만, 돌은 빠지지 않았다. 은찬이는 같은 방법으로 도끼를 만든 후 잠들기 전 모닥불에 장작을 넣는 걸 잊지 않았다.

그리고 넓은 잎을 가져와서 바닥을 다시 깔았다.

예전에 쓰던 잎이 낡아지고 있었기 때문이다.

불이 활활 타오르니 집이 정말 따뜻해지는 것이 느껴졌다.

사냥하기

은찬이는 일어나서 무기를 손질하고 있었다.

오늘은 본격적으로 사냥을 나갈 것이다. 멧돼지같이 양이 푸짐한 사냥감을 잡을 생각이었다. 어제 생존책에서 덫을 만드는 법을 완전히 익히고 자서 덫을 섬 여러 군데에 다섯 개쯤 설치하고 사냥도 나갈 생각이었다.

어제 익힌 덫 만드는 법을 떠올리고 땅바닥에 설계도를 그려 보았다.

덫의 종류는 총 세 가지다.

하나는 막대기에 엄청 무거운 통나무 등을 올려놓고 막대에 미끼를 살짝 얹어놓는다.

그러면 동물이 미끼를 건드리게 되고 큰 통나무가 동물에게 쿵 떨어지고….

두 번째 덫은 함정이다.

함정을 판다. (함정을 팔 때 잡으려는 동물의 키의 두 배 정도로 깊게 파야 하고 토끼 같은 동물은 함정에서 잘 빠져나오니 함정 모양을 항아리 모양이나 사다리꼴 모양처럼 빠져나오기 어려운 모양으로 파야 한다.)

세 번째 덫은 올가미를 이용한 덫이다.

은찬이는 올가미 만드는 법을 어제부터 연습해서 오늘 아침에 터득했다. 매듭을 만드는 게 어려워서 조금 오래 연습해야 했다.

만드는 법은 올가미를 만들어서 나무에 묶어 놓은 다음 울타리를 땅에 고정하고 올가미의 줄 끝부분을 나무막대에 묶은 뒤 막대를 당기면 올가미를 나무에 묶어 놓았기 때문에 나무도 당겨진다.

나무가 당겨진 상태에서 울타리의 옆부분을 파준 뒤 나무막대를 고정한다. 그러면 동물은 올가미의 원 안에서 미끼를 먹게 되는데 나무막대에 미끼를 끼우면 동물이 미끼를 먹으려고 올가미 안에 들어오고 미끼를 건드리면 나무 막대가 빠지면서 나무가 위로 올라가고 그 덕분에 올가미가 조여지는 것이다.

덫을 설치하고 사냥을 하려면 온종일 걸릴 것 같다. 그래서 도시락을 챙겨가야 할 것 같았다. 집에 돌아오면 점심때 정도 되어 있을 것 같으니 지금 아침을 먹고 점심은 도시락을 싸서 가야 할 것 같았다. 도시락을 쌀 넓은 나뭇잎을 구했다. 은찬이의 몸통의 절반 정도 되는 크기였는데 도시락을 쌀 크기로 충분했다.

낚싯대를 가지고 낚시를 하러갔다. 생선을 잡아서 요리할 생각이었다. 생선과 남은 토끼고기를 조금 가져가면 될 거 같았다.

이제 물고기를 잡는 건 정말 쉬웠기 때문에 금방 물고기를 한 마리 잡을 수 있었다. 문제는 이 물고기를 어떻게 요리하느냐는 거다.

"구울까?"

생선을 구우면 지금 당장은 맛있지만, 점심을 먹을 때 정도 되면 기름도 하얗게 변하고 생선도 식어서 맛이 떨어질 것이다. 그리고 구운 지 얼마 되지 않은 시간대에는 동물들이 그 냄새를 맡을 수도 있다.

"대나무에 넣고 공기로 익혀?"

이건 생선을 찐다고 보면 되는데 이 방법이 좋다고 생각했다. 20분 정도 있으면 사냥하러 가야 하는데 훈제로 만들 수도 없고 다른 조리법도 생선구이와 마찬가지일 것 같았다.

생선찜은 기름이 나오지 않고 식어도 식은 것 치고는 맛이 꽤 괜찮다. 생선이 식어버리는 건 어쩔 수 없지만 다른 음식보다는 좋을 것 같았다.

은찬이는 생선찜을 점심 메뉴로 정했다.

숲에 강이 있는데 그쪽에 대나무가 아주 많이 있었다. 그 대나무를 도끼로 베서 가져오면 될 것 같았다. 대나무를 자르면 물이 나온다는 말도 들어본 적 있었다.

일단 강가로 달려갔다. 대나무를 두 개 정도 잘랐다. 집을 나오기 전에 물을 마시는 걸 잊어버려서 목이 말랐다. 대나무를 자르니 물이 나왔다. 물이 대나무에서 나오는 것 치고는 꽤 많이 나왔다. 적어도 목을 축이는 건 가능했다.

대나무를 들고 집으로 갔다. 대나무도 아무리 속이 비었다고 해도 나무인데 생각보다 가벼웠다. 크기가 5미터는 되는데 생각보다 가벼워서 대나무 두 개를 들고 집까지 걸어가는 것도 가능했다.

"부피에 비해 가볍다는 건 그만큼 물에 잘 뜬다는 증거인데…."

"아니야 쓸데없는 생각은 하지 말자. 아무리 생각해도 여기서 구조를 기다리는 것이 현명한 행동이야."

아무 대책도 없이 뗏목을 만들어서 탈출했다간 바다에서 굶어 죽거나 육지를 발견하지 못해서 미아가 될 것이다.

"여기 와서 엄마한테 전화했으니 적어도 엄마는 내가 여기에 있는 걸 알 거야."

"물론 '여기에' 있는 건 모르겠지만 아마 엄마가 신고하고 한국과 미국은 아마 협력 조사를 할 거야"

"물론 나 같은 어린이랑 조종사 한 명을 찾겠다고 그렇게까지는 노력하지 않겠지만 그래도 수색 작업을 펼치겠지.

예상 경로를 500킬로미터에서 길면 1,000킬로미터로 아주 길게 잡아서 비행기 아홉 대 정도가 나란히 날아서 나를 수색하겠지."

그러니 지금은 얼른 집으로 돌아가서 사냥을 나가야 했다.

생각하며 걷다 보니 금방 집에 도착했다.

은찬이는 얼른 생선을 대나무 속에 넣고 물을 조금 부었다. 그리고 돌로 대나무의 양쪽 구멍을 막고 불 속에 넣어 두었다.

"이제 조금 쉬자"

생선찜이 다 되면 바로 사냥을 나가야 했다.

은찬이는 바닥에 잠깐 누워 있다가 대나무를 확인해 보았다. 생선이 거의 익은 것 같았다. 40분 정도 쪘으니 이제 사냥을 나가야 할 것 같았다.

아까 주워 온 나뭇잎을 씻고 생선찜과 훈제 생선을 싼 뒤 끈으로 묶었다. 그리고 가방을 꺼내서 도시락을 담았다.

"출발"

먼저 덫부터 설치하고 사냥을 나가기로 했다. 올가미를 이용한 덫을 먼저 설치하기로 했다. 아까 연습한 대로 올가미를 만들어서 나무에 묶어 놓은 다음 울타리를 땅에 고정하고 올가미의 줄 끝부분을 나무막대에 묶은 뒤 막대를 당기면 나무도 당겨지는데 나무막대를 거치대에 거쳐둔다. 미끼를 살짝 놔두면 된다. 미끼는 훈제로 만들지 않은 토끼고기다. 조금 오래되긴 했지만, 아직 썩을 정도는 아니다.

덫을 설치하고 나니 대략 한 시간 정도 지나 있었다.

해가 조금 많이 올라갔으니 이정도 되면 한 시간 정도 지난 것이다. 이제 두 번째 덫을 설치할 예정이다.

두 번째 덫은 함정을 팔 거다. 함정을 파는 것이 제일 어렵고 오래 걸리기 때문에 이 일을 하고 점심을 먹으면 참 뿌듯할 것이다.

이번에는 저번에 토끼를 봤던 평원에 설치할 예정이다. 평원에서 동물의 발자국이 많은 곳에 설치할 예정이다. 발자국이 많다는 건 동물이 그 길로 많이 다닌다는 뜻이기 때문이다. 은찬이는 평원 쪽으로 걸어갔다.

평원에 있는 물가에 토끼 두 마리가 있었다. 은찬이는 토끼를 잡으려다 말았다. 지금은 덫을 설치하느라 바쁘고 활도 가져오지 않았기 때문에 보나, 마나 시간 낭비를 하고 말 것이다.

함정은 물가 바로 옆에다가 파기로 했다. 함정은 190센티미터 정도로 깊게 파고 혹시나 멧돼지 같은 큰 동물이 걸릴 수도 있으니, 함정을 넓게 파기로 했다. 190센티미터 정도면 은찬이가 점프하고 밖에 손을 짚어 빠져나올 수 있을 거다. 함정을 손으로 파다 보니 시간이 매우 많이 지났는데도 절반밖에 파지 못했다. 주위에 있는 나무로 땅을 팠지만 별 도움이 되지 않았다.

"이거 삽이 필요한데……."

삽은 만들기에는 시간이 부족하다.

결국 은찬이는 손으로 함정을 팠다. 한 130센티미터 정도밖에 파지 못했지만 작은 동물은 잡을 수 있을 거다.

그런데 은찬이의 배에서 꼬르륵 소리가 들렸다.

아마도 함정을 파는데 너무 많은 에너지를 사용해서 배가 고픈 것 같았다. 그리고 지금은 오후 1시쯤 될 거다. 해가 꼭 대기에서 살짝 내려왔으니 말이다.

지금은 점심을 먹어야겠다고 은찬이는 생각했다.

레이는 항상 무리하지 말고 에너지를 아끼고 에너지를 소비하면 다시 에너지를 보충하라고 했다.

은찬이는 나뭇잎을 풀었다. 실온에 두기는 했지만, 생선찜과 토끼고기는 아직 온기를 가지고 있었다. 생선찜을 조금씩 뜯어먹고 훈제 고기도 한입 먹었다. 비어있는 속에 음식이 들어가는 것이 느껴졌다. 오랜만에 도시락을 먹으니 정말 맛있었다. 물론 학교에서 체험학습을 하러 갈 때마다 엄마가 만들어 주던 도시락과 비교할 수 없지만 그래도 일하다 먹는 밥은 정말 꿀맛이었다.

밥을 다 먹고 은찬이는 덫을 하나 더 설치하기로 했다. 이번에 설치할 덫은 동물이 미끼를 건드리면 무거운 통나무가 동물 위로 떨어져서 동물을 잡는 구조이다.

이번에 설치할 덫은 준비물이 꽤 간단하다. 무거운 통나무와 굵은 나뭇가지 네게, 미끼만 있으면 만들 수 있다. 하지만 준비물이 간단하다고 해서 만드는 것도 간단하지 않다. 무거운 통나무를 들어올려야 하고 한 번이라도 실수하면 덫이 무너져서 처음부터 다시 만들어야 하는 상황이 생길 수 있다.

우선 통나무부터 찾아야 한다. 은찬이에게 도끼가 있기는 하지만 은찬이가 필요한 통나무는 크고 굵은 나무여야 했다. 최소 어른의 허리 두께는 돼야 한다. 그렇게 두꺼운 나무는 벨 수 없고 도끼도 망가질 것이다. 그렇다고 해서 작거나 얇은 나무를 베면 무게가 별로 나가지 않아서 동물을 죽이지 못할 수도 있다.

통나무를 찾아야 한다. 그러면 더 깊은 숲까지 들어가야 한다. 은찬이는 숲으로 들어가기 저 집에서 무기를 하나 가지고 오기로 했다.

"숲에는 맹수가 널렸고 가다가 사냥감을 발견할지도 모르는데 창과 활은 챙기는 게 좋지"

여기서 집까지는 조금 멀다. 동물들이 사람이 사는 곳은 잘 오지 않기 때문에 일부러 은찬이의 집에서 멀리 떨어진 곳에 덫을 설치하려고 한 것이다.

은찬이는 집 방향으로 재빨리 뛰었다. 집까지 뛰어가면 20분 정도 걸릴 것이다. 집에 가면 무기를 챙기고 물을 조금 마신 뒤 다시 덫을 설치하러 갈 것이다.

"집까지 가는데 25분 잡고 무기 챙기고 물을 마시는 데 3분 다시 오는 데 25분 통나무를 찾고 덫을 만드는데 세 시간 잡으면?"

그러면 노을이 질 시간이다. 저녁으로 먹을 것도 구해야 하는데 날이 어두워지면 정말 큰 일이다.

"더 빨리할 수는 없을까?"

그러면 통나무를 찾는 시간을 줄여야 하는데 쓰러진 통나무를 찾을 확률이 얼마나 되겠는가? 솔직히 일이 날마다 잘 풀려갈 수는 없는 법이다.

"그러면 저녁을 훈제 생선으로 먹을까?"

그것도 좋은 방법이기는 하다.

이제 슬슬 보관을 할 수 있는 날이 끝나가는 것도 있다. 은찬이가 다 분류해 놓았으니 말이다. 하지만 이렇게 계속 훈제 요리를 먹으면 정말 급한 상황일 때 음식이 없어서 굶어 죽을 수도 있다. 훈제로 만든 요리는 최대한 아껴서 먹어야 했다.

"아니야 아무리 생각해도 오늘은 저녁으로 훈제 요리를 먹어야 해. 아무리 시간을 줄여 봐도 먹을 걸 구할 수 있는 시간이 부족해. 아직 훈제 생선과 고기가 많으니 이번까지만 먹은 다음 아껴서 먹어도 돼"

이 방법이 가장 현명하다고 은찬이는 생각했다.

시간이 없어서 저녁을 먹지 않는 건 다음 날에 힘을 쓸 수 없을지도 모르니 안된다. 은찬이는 레이가 생존에서 에너지를 항상 보충해야 한다고 말했던 것이 기억났다.

생존에서 가장 중요한 건 보호다. 상대가 극한의 추위건 지루함이건 사나운 맹수건 그런 것들로부터 보호되어야 한다. 두 번째는 구조다. 조난된 지역이 어디건 구조 신호를 만들어서 구조되어야 한다. 그다음이 물이고 마지막이 식량이다. 식량이 맨 뒤라도 식량은 중요하다.

몸에 필요한 에너지가 없으면 은찬이는 동물을 잡을 수도 없고 물을 구할 수도 없고 집을 지을 수도 없다.

그러니 굶는 건 패스!

그렇다고 어두워지고 나서 이 섬을 돌아다니는 건 너무 위험하다. 호랑이나 곰 같은 야행성 동물들은 밤에도 사냥감을 찾으러 돌아다니니 해가 지고 난 후에는 집에만 있어야 한다.

생각하며 걷다 보니 어느새 집이었다. 은찬이는 재빨리 무기들을 챙긴 뒤 물을 마시고 다시 걸었다. 물을 마시고 뛰는 건 현명하지 않은 행동이다. 은찬이는 자주 물을 마시고 체하는데 그 이유는 친구들과 놀기 전에는 항상 물을 마시고 나가기 때문이다. 물을 마시고 뛰어놀면 얼마 가지 않아서 배가 아프다.

여기서 배가 아파봤자 도움 될 거 없으므로 은찬이는 걸어서 이동하기로 했다. 걸어서 이동하니 주변이 눈에 더 잘 보이는 것 같았다. 은찬이는 저번에 찾기로 했지만 찾지 못했던 날카로운 돌을 일곱 개나 찾았다.

크기가 조금 작아서 도끼날로 쓰지는 못하겠지만 창을 새로 만들고 창끝에 붙이면 정말 강력한 무기가 완성될 것이다. 한 가지 어려운 점은 돌을 창끝에 고정하는 거지만 생존책에 나와 있는 단단히 묶는 것이 가능한 매듭을 몇 가지 외우면 충분히 가능할 것 같았다.

가다가 곤충을 발견했다. 메뚜기로 보였다. 은찬이는 메뚜기를 그냥 먹으려다 멈칫했다.

"구워서 먹으면 훨씬 맛있지 않을까?"

은찬이는 시골에서 메뚜기를 구워서 먹어 본 적이 있었다. 장난기가 많은 사촌 형이 메뚜기를 몇 마리 잡아 오더니 고기를 불판 위에다가 올려서 구웠다. 할아버지는 씩 웃기만 하셨다. 그때까지만 해도 그게 무슨 뜻인지 몰랐는데 형이 메뚜기를 입에다 넣는 것이 아닌가?

할아버지도 메뚜기를 드셨다. 그러고는 은찬이더러 메뚜기를 먹으라고 했다. 은찬이는 끝까지 거부하다가 딱 두 마리 남았을 때 메뚜기를 먹어 보았다. 상상과 달리 메뚜기는 정말 맛있었다. 은찬이는 마지막으로 남은 메뚜기를 단숨에 먹어 치웠다.

그리고 지금. 은찬이는 메뚜기를 잡았다. 우선 비닐봉지에 메뚜기를 넣고 비닐봉지를 묶은 뒤 가방에다가 넣었다. 있다가 저녁을 먹을 때 훈제 생선과 같이 먹으면 정말 맛있을 것이다.

이제 꾸준히 걸을 때였다. 은찬이는 중간중간 길을 잃지 않도록 지나간 자리마다 가야 할 방향과 집으로 가는 방향을 그려 놓았다. 그리고 나무에도 칼집을 냈다.

이정도면 길을 잃지는 않을 것이다.

이번에도 생각하며 걸으니 일찍 도착한 것 같았다. 은찬이는 마지막으로 준비물과 할 일을 점검했다,

"내 몸에 연기 냄새가 배서 맹수들은 내 냄새를 맡을 수 없고, 무기는 창과 활이 있고, 메뚜기를 담은 비닐봉지는 꽉 묶은 뒤 가방에 넣고……."

모든 준비가 끝났다. 은찬이는 혹시나 맹수들이 자신의 연기 냄새를 맡고 쫓아올까 봐 진흙을 얼굴과 손에 바르고 가방 지퍼 부분에도 조금 발랐다.

이제 통나무를 찾으러 출발해야 한다. 통나무는 은찬이가 끌 수 있을 정도의 크기여야 하고 동물을 죽일 수 있을 정도여야 한다. 그런 나무가 여기에는 널렸는데 왜 쓰러진 통나무는 없는 거지?

그때! 은찬이는 재빨리 나무 뒤에 숨었다.

거대한 곰이 은찬이에게서 겨우 40미터 떨어진 곳에 아기 곰과 무언가를 먹고 있었다.

그 거대한 곰은 은찬이는 보더니 위협적인 얼굴로 경고했다. 은찬이보다 더 큰 먹이가 있으니 은찬이를 잡아먹지 않는 것 같았다. 은찬이는 무기를 집었지만, 자신을 잡아먹으려 들지 않는 곰과 굳이 싸워야 하나 싶었다.

잘못하다 싸우려고 시비를 걸면 곰이 은찬이를 공격할 가능성이 매우 컸다. 무서워서 온몸이 떨렸다.

곰이 은찬이에게 빨리 가라는 듯 은찬이는 무섭게 노려보았다. 은찬이는 무서워서 울음이 터질 것 같았지만 곰에게 살짝 허리를 숙여서 복종한다는 의미를 주고 뒤도 곰을 마주 보며 뒷걸음칠 치다가 뒤도 돌아보지 않고 뛰었다. 5분 정도 전력질주한 후에 뒤를 돌아보고 미친 듯이 주위를 살폈지만 곰은 보이지 않았다. 곰의 색이 그렇게 눈에 띄는 편은 아니지만, 반경 60미터 안에 있으면 상당히 잘 보였다. 곰은 보이지 않았다.

은찬이는 그냥 집으로 돌아가기로 했다. 아직도 손이 미친 듯이 떨렸다.

"그곳은 가지 않는 게 좋겠어……. 두 번 다시는 가지 않을 거야"

은찬이는 맹수가 더 있을지도 모른다고 생각하고 진흙을 더 발랐다. 집 바로 앞에 바닷가가 있으니 거기서 씻으면 된다. 지금은 오로지 집으로 가야 한다는 생각뿐이었다. 지금은 다른 생각을 할 수 없었다. 최대한 빨리 안전한 집으로 돌아가야 했다. 은찬이는 힘듦 따위 잊은 듯이 달리기 시작했다.

손은 아직도 떨고 있었지만, 감각은 돌아온 것 같았다. 마침내 더 이상 달리지 못하게 되었을 때 은찬이는 나무를 기대고 앉아서 숨을 고르고 다시 출발했다. 숨을 크게 쉬지 않아서 숨을 고르기가 참 어려웠다.

마침내 집에 도착했다. 은찬이는 횃불에 불을 붙였다. 맹수가 겁을 먹고 들어오지 못하게 하기 위해서다. 그리고 모닥불에 솔잎과 솔방울을 넣어 불을 크게 만들었다. 집 입구 앞에 있는 횃불에 불을 붙이는 것도 잊지 않았다.

그러고는 숲에 있는 냇가로 갔다. 아까 덫을 설치하다 본 곳이었다. 은찬이는 냇가로 들어가서 몸을 씻었다. 그리고 젖은 몸으로 집 마당으로 들어가서 불 옆에 앉았다. 수건이 없어서 불 옆에 앉아서 몸을 말리는 수밖에 없었다. 불 옆에 앉으니 참 따뜻했다.

몸을 다 말리고 집에 들어갔다. 따뜻한 집에 있으니 조금씩 냉정함을 되찾는 것 같았다. 은찬이는 조용히 앉아서 훈제 생선과 구운 메뚜기를 먹으며 곰과 마주친 일을 생각했다.

'이건 정말 평생의 운을 전부 쓴 거라고 해도 틀리지 않아. 곰이 조금이라도 배가 고팠다면 나를 잡아먹었을지도 몰라. 저번의 유튜브에서 봤을 때 곰은 성인 남자를 즉사시킬 수 있을 정도로 강한 펀치와 최대 65km로 달릴 수 있어서 나 정도는 쉽게 잡아먹을 수 있을 거야. 정말 다행이야!'

정말 다행이다. 은찬이는 곰과 마주치고도 살아남았다. 나중에 엄마 아빠한테 들려주어야 할 이야기다.

'근데 덫 어떡하지?'

"몰라! 덫이고 나발이고 죽을 뻔했는데 그게 뭐가 중요해. 그래도 두 개는 설치를 했는데 운이 따라준다면 하나 걸리겠지. 내일 확인해 보자.

은찬이는 곰과 마주친 지역 근처에는 절대로 가지 않겠다고 다짐했다.

"잠깐만! 위치를 표지해야지!"

"내가 전속력으로 달릴 때 시속 20km 정도 나오고 20분이 걸렸으니까 곰이 서식하는 위치부터 내 집까지의 거리는?"

계산해 보니 약 6.6km 정도 떨어져 있으니 올림 해서 약 7km라고 보자 방향은 저쪽.

그렇게 은찬이는 곰이 서식하는 위치를 집 입구와 해안가에 표시했다. 자리를 표시하고 집으로 돌아가니 노을이 지고 있었다. 지나치기에는 너무 예뻤다.

"사진을 찍지 않아도 난 이 순간을 절대로 잊지 못할 거야. 정말 예쁘다. 도시에서는 건물에 막혀서 이런 풍경은 보기 어려운데…."

그래도 여기는 정말 위험하다. 그동안은 그렇게 위험한 일이 생기지 않았으니 아주 평화롭게 살았지만 아까 곰을 마주치고 생각이 완전히 바뀌었다.

여기는 매우 위험한 곳이다. 먹을 걸 구하러 숲에 들어갔다가 곰을 마주칠 수도 있다. 위험은 꼭 맹수만은 아니다.

은찬이가 여기에 처음 왔을 때가 7월 말이니 지금은 8월 초 정도 될 거다. 여름인 지금은 몹시 덥다. 그래도 섬이고 바닷가라 여름에도 밤에는 쌀쌀하다. 불만 피우면 별문제는 없는데 9월 중순 정도 되면 낮에는 덥지만, 밤에는 쌀쌀해진다.

그리고 9월에 덥다가 비가 오면 그때부터 날씨가 추워지기 시작한다. 그러다가 겨울이 되면 사냥감도 다 숨어 버린다. 그리고 극한이 추위가 찾아오기도 한다. 지금 은찬이에게는 반소매와 긴 팔이 하나씩 있고 바지도 긴바지와 반바지가 하나씩 있다.

긴 팔과 긴바지를 입고 바람막이를 입으면 10월 중순까지는 버틸 수 있겠지만 날씨가 더 추워지면 은찬이는 아마 여기서 살아남지 못할 것이다.

추워지기 전에 동물의 가죽을 이용하여 두꺼운 털옷을 만들어야 한다. 처음에는 곰이 생각났지만, 단숨에 생각을 바꿨다. 곰은 정말 무서웠기 때문이다. 그리고 은찬이의 활과 화살로는 어림도 없을 것이다. 곰의 가죽이 엄청 두꺼우므로 곰에게 부채질하는 것과 다를 것이 없다. 그렇다고 가까이에서 창이나 칼로 싸우는 건 자살행위와 같을 것이다.

"멧돼지 두 마리면 충분한데…."

곰보다 멧돼지가 훨씬 낮지만, 멧돼지도 자신이 없었다.

멧돼지와 싸운다고 해도 질 게 뻔하다.

"그래도 활로 잡으면 될 것 같은데…."

은찬이는 아까 주운 날카로운 돌을 화살촉으로 사용해서 강력한 화살을 만들기로 했다. 이번에는 화살을 만드는 법이 전에 만들었던 화살보단 만드는 방법이 좀 더 까다롭다.

화살을 만들 나무를 준비한 뒤 (화살촉 부분을 화살의 앞쪽이라고 부른다) 앞쪽을 조금 깎아주고 실로 감는다. 나무가 갈라지는 걸 방지하기 위해서다.

그리고 화살촉이 들어갈 부분에 홈을 내주는데 이때 홈의 길이는 충분하게 해도 상관없지만 홈의 넓이는 살짝 좁게 해준다. 그 이유는 화살촉을 끼우기 어렵지만, 화살촉을 끼우는 데 성공하면 화살촉이 잘 빠지지 않는다. 그리고 화살 뒤쪽에 깃털을 붙이면 화살의 정확도가 높아지고 더 멀리 날아간다. 그러니 위력도 더 강해진다.

화살을 만드는 건 쉬운데 문제는 깃털이 없다는 거다. 깃털은 새의 깃털로 만들면 된다.

하지만 은찬이는 새를 한 번도 잡아본 적이 없었다. 숲에 깃털이 조금 떨어져 있기는 하지만 그곳은 곰의 서식지로 가는 길 이였다. 그곳에는 죽어도 다시 가기는 싫다.

하지만 선택의 여지가 없었다. 새가 너무 빨라서 잡을 수도 없고 깃털이 달리지 않은 화살은 목표물을 정확히 겨냥하기가 너무 어렵다. 곰의 서식지에서 좀 떨어져 있기는 하지만 그래도 안심할 수는 없다. 곰은 후각이 매우 뛰어나서 은찬이의 냄새를 맡을 거다. 어제처럼 진흙을 몸에 바른 뒤 최대한 소리를 내지 않고 깃털만 주워서 후다닥 돌아오면 곰을 만날 일은 없을 수도 있다.

혹시라도 곰을 발견해도 저 멀리 떨어져 있으면 진흙 때문에 곰은 은찬이의 냄새를 맡기 어려울 거다. 깃털을 최대한 많이 가져와야 해서 가방을 가져갈 거다. 지금은 잠을 자서 에너지를 보충하고 내일 곰이 아침을 먹었을 것 같은 시간에 출발하면 될 것 같았다.

이 섬에는 너구리나 멧돼지 같은 곰의 사냥감은 많을 테니까 곰은 아마 아침을 먹을 수 있을 거다. 내일 일어나서 해가 적당히 떴을 때 출발하면 될 것이다. 일단은 잠을 자기로 했다. 그렇게 은찬이는 잠이 들었다.

생활용품 수집하기

다음날 은찬이는 깃털을 수집하기 위해 아침을 먹고 출발했다. 점점 일어나는 시간이 늦어지고 있었다. 이러면 정말 큰일이다. 일어나는 시간은 점점 늘어나고 은찬이의 하루는 그만큼 짧아질 것이다. 하루가 짧아지면 은찬이가 해야 할 일을 할 시간이 점점 짧아진다. 늦게 일어나는 걸 알람 없이 막아야 했다.

하지만 쉽지는 않았다. 알람이 없이 일찍 일어나는 건 정말 어렵다. 특히 은찬이처럼 잠이 많은 사람은 정말 알람이 필수다. 알람 없이 어떻게 잠을 조절할 수 있을까?

아마 일찍 잠이 들면 일찍 일어나게 될 거다. 그렇게 수면 시간을 조절하는 것이 지금 은찬이가 여기서 할 수 있는 일종 최선이다.

"좋아! 일찍 자자! 해가 지고 조금 있다가 자면은 될 거야. 지금은 여름이니 7시 30분쯤 해가 지기 시작하는 데 한 10쯤

자면 되겠지. 그리고 다음 날 일찍 일어나서 할 일을 일찍 시작하는 거야."

그러면 이렇게 좋은 습관이 완성될 것이다.

은찬이는 몸에 진흙을 바르고 집으로 걸어갔다. 창과 활에도 냄새가 있을 것 같아서 모닥불에서 나는 연기를 20분 정도 맞도록 해서 은찬이의 냄새는 나지 않을 거다.

20분 후 은찬이는 무기를 들고 출발했다. 곰이 있는 곳에서 200미터쯤 떨어진 곳이다. 깃털만 얼른 줍고 바로 집으로 돌아오면 아무 문제 없을 거다. 이것만 기억하면 된다.

깃털만 줍고 바로 집으로 오면 된다.

은찬이는 곰의 서식지로 계속 걸어갔다. 깃털을 줍고 돌아오면서 어제 설치한 덫을 확인할 예정이었다. 운이 좋으면 뭐가 걸렸을 수도 있다.

그러면 오늘 저녁을 구할 시간 동안 화살 훈련장 공사를 할 수 있다. 제발 뭐라도 하나 걸렸으면 좋겠다.

여기서부터는 조용히 움직여야 한다. 곰과 마주칠 수 있으니 말이다.

'그런데 꼭 곰만 마주칠 수 있는 건 아니잖아!'

이런! 곰이 너무 무서워서 잊고 있었다.

곰뿐만 아니라 늑대나 멧돼지를 만날 수도 있다.

진흙을 조금 더 바르고 다시 출발하는 것이 좋을 것 같았다. 아까 바른 진흙은 조금 굳어 버려서 조금 더 바르는 것이 좋을 것 같았다.

'하필이면 왜 곰은 후각이 좋을까? 곰이 후각이 좋지만 않았어도 지금 내가 이러고 있을 필요가 없잖아!'

라고 말할 뻔했지만 말하지 않아서 다행이다.

지금 크게 말을 했다가는 곰이 은찬이를 죽이러 올 수도 있으니 생각하는 것만으로 만족하는 것이 좋을 것 같았다.

은찬이는 꾸준히 걸어갔다. 창을 들고 주변을 경계하며 조용하게 걸어갔다.

이러고 있으니 예전의 사파리에 갔었던 기억이 떠올랐다. 사파리는 맹수들이 많은 동물원 같은 곳인데 동물원과의 차이점은 대부분의 사파리가 맹수들만 있는 곳이고 동물원 정도 되는 넓은 땅에 맹수들을 풀어놓는 것이다. 물론 맹수가 탈출할 수 없도록 사파리 전체가 전기 울타리로 둘러싸여 있고 맹수들끼리 서로 싸우는 일이 없도록 전기 울타리로 구역을 나누어서 같은 종의 맹수들끼리 살도록 한다. 사파리를 관람할 때는 강철로 만들어진 철장으로 보호되고 있는 특수 차량에 타서 맹수들을 가까이서 볼 수 있었다.

지금 은찬이는 사파리 안에 버려진 것과 마찬가지였다. 물론 사파리처럼 맹수가 많지는 않지만 그래도 전기 울타리처럼 '보호 수단 없이' 곰과 이 섬에 있는 모든 맹수에게 노출된 것이다. 어제 깨달았는데 이 섬에 있는 맹수들이 은찬이의 냄새를 맡고 집 근처로 오면 자다가 맹수에게 당해도 이상할 게 없었다.

"어떡하지? 아무리 보안을 늘렸다고 해도 맹수가 마음만 먹으면 집에 들어와서 나를 잡아먹는 건 정말 쉬울 거야. 보안을 더 늘릴 수는 없을까?"

하지만 지금 은찬이가 살고 있는 집처럼 좁고 부서지기 쉬운 집은 보안을 강화한다고 해도 맹수들이 들어올 것이다. 튼튼한 통나무집을 지어서 맹수들의 출입을 막아야 하는데 아직 은찬이는 통나무집을 지을 정도로 발전하지는 않았다. 흙집을 짓는 것도 마찬가지다. 아직 은찬이는 그렇게 어려운 건 하지 못한다.

은찬이는 창으로 나무에 흠집을 내서 길을 표시한 후 계속 걸었다. 이렇게 길을 표시하지 않으면 길을 잃을 수도 있었다. 물론 은찬이는 방향감각이 정말 뛰어나고 길을 아주 잘 찾는 편이지만 아무리 은찬이라도 이렇게 나무들이 빽빽한 숲에서는 잘못하면 길을 잃을 수도 있었다.

"이럴 때 옆에 동료 한 명만 있어도 든든한데…."

은찬이는 갑자기 친구들이 그리웠다. 지금 옆에 친구가 있었다면 은찬이는 지금까지 해온 일과 앞으로 해야 할 일을 더 잘할 수 있을 것이다. 아마 같이 웃으며 불을 피웠을지도 모른다. 아마 같이 먹을 걸 구했을 거다. 아마 둘이 함께 수다를 떨며 같이 무기를 만들었을지도 모른다. 아마 둘이 곰을 물리쳤을지도 모른다. 아마 둘이 달리기 시합도 하고 여가생활도 질겼을 것이다. 아마 여기에 버려졌다고 해도 둘이면 훨씬 잘해 나갈 것이다.

무엇보다 모든 걸 함께했을 것이다. 친구는 생각보다 소중한 존재였다. 그걸 생각하니 버틸 수가 없었다. 여기에 누군가 있었다면 훨씬 기쁘고 훨씬 재밌고 훨씬 좋았을 것이다. 지금처럼 절망할 때 누군가 손을 내밀어 주며 "괜찮아"라고 말만 해주어도 정말 든든할 것이다. 아마 더 쉽게 일어서고 더 쉽게 극복해 내겠지….

하지만 일어나야 한다. 친구들이 그립다면 여기서 살아남아 구조된 뒤 친구들을 만나야 한다.

은찬이는 다시 걷기 시작했다. 이제 곰이 있는 곳까지 얼마 남지 않았다.

여기서부터는 아주 조심히 걸어갈 거다. 잎이 떨어져 있는지 확인하고 나뭇가지를 밟지 않도록 조심하며 걸을 거다. 그리고 곰 같은 동물은 후각이 매우 뛰어나서 지금 은찬이의 냄새를 맡았을 수도 있다. 물론 진흙을 바르고 연기 냄새가 살짝 몸에서 살짝 나지만 그래도 냄새가 완전히 사라지는 건 아니니 조심하는 것이 좋았다.

이건 레이가 알려준(지금 상태에서는) 유용한 방법인데 은찬이가 바람을 등지고 이동하게 되면 은찬이의 냄새가 바람을 타고 이동한다. 그러면 곰이 은찬이의 냄새를 맡기가 더 쉬워지니 바람을 맞으며 이동해야 한다. 곰은 지금 은찬이의 앞쪽에 있을 가능성이 매우 크기 때문에 은찬이는 바람을 맞으며 이동해야 한다.

주위에는 맹수가 없을 거라고 장담할 수 없다. 은찬이는 주위를 둘러보며 걸었다. 조심조심하며 걸어야 한다.

"어!"

땅에 깃털이 조금 떨어져 있었다. 까마귀의 깃털로 추정되는 깃털 같았다. 깃털의 색이 검은색이고 조금 큰 편이었다. 까마귀 깃털 5개를 발견했다. 새의 깃털에는 균이 매우 많으므로 깃털을 만지지 않고 바로 비닐봉지에 넣어서 가져갈 생각이었다. 깃털을 찾았으니 조금만 더 둘러보고 가야 할 것 같았다. 깃털 한 개면 화살 한 개에 깃털을 붙일 수 있으니 조금만 더 찾고 가면 될 것 같았다. 주위를 둘러보니 나무에 깃털 2개가 걸려 있었고 바닥에도 개가 놓여 있었다. 이제 정말로 가야 할 것 같았다. 은찬이가 집으로 가려고 발을 돌렸다.

그때!

아주 멀리 곰이 보였다.

100에서 200미터는 떨어져 있어서 다칠 위험은 거의 없지만 곰이 은찬이를 아예 못 보지는 않았을 거다.

은찬이는 소리를 내지 않으려고 최선을 다했다. 바로 앞에 맛있어 보이는 열매가 보였다. 지금은 열매를 딸 상황이 아니지만 은찬이는 주머니 가득 열매를 땄다.

아직 곰은 은찬이는 별로 신경 쓰지 않는 것 같았다. 은찬이가 아직 곰의 영역에 들어가지 않아서 곰이 신경을 쓰지 않는 것 같았다. 아마 열매를 더 따도 될 것이다. 바람막이 주머니와 바지 주머니 가득 열매를 땄지만 이렇게 따봤자 며칠밖에 먹지 못한다. 일단 가방에도 몇 개 넣어서 가져가야 할 것 같았다.

곰은 은찬이를 가끔 돌아보기도 했지만, 아직 별 관심을 가지지 않는 것 같았다. 이 말은 은찬이에게 열매를 더 딸 시간이 있다는 것이고 은찬이는 열매를 딴 다음 집으로 가야 한다.

이제 가방에도 열매가 꽤 많이 모였다. 이정도면 열매를 많이 모았다는 뜻이고 어서 돌아가야 한다. 가방에 진흙을 바르는 걸 깜빡할 뻔했지만, 가방에 진흙을 바르고 집으로 갈 수 있었다.

집으로 가는 길이 생각보다 가볍게 느껴졌다. 아마 깃털도 아홉 개나 구했고 열매도 많이 따서 발걸음도 가벼워지는 것 같았다.

집에 가기 전 덫을 확인해 오늘 저녁으로 먹을 동물이 잡혔는지 보고 집에 가는 것이 더 현명할 것 같았다. 어차피 지금 집에 가봐야 열매와 깃털을 정리하고 다시 덫으로 가야 한다.

오늘은 운이 매우 좋으니 어쩌면 사냥감이 잡혔을지도 몰랐다. 사냥감이 잡히지 않아도 깃털을 굉장히 빨리 주워서 시간이 많이 절약됐다.

절약한 시간 중 6분 정도는 열매를 따는 데 써버렸지만 그래도 한 시간 정도는 화살 훈련장을 만들 수 있을 거다.

'훈련장을 만드는 동안 깃털을 깨끗하게 씻어서 말려 놓아야지.'

그런 다음 저녁을 먹고 화살에 깃털을 붙이면 될 것 같았다. 오늘은 정말 일이 잘 풀린 것 같았다.

이제 덫이 살짝 보였다. 동물들이 덫을 보지 못하게 잘 숨겨 놓았지만, 은찬이는 덫을 알아볼 수 있도록 근처에 있는 나무에 흠집을 내서 자리를 표시해 두었다. 나무에 흠집을 내면서 그림도 그려 놓았기 때문에 쉽게 알아볼 수 있었다. 나무를 지나자 덫이 보였다.

하지만 아무것도 걸리지 않았다. 살짝 실망했지만 그래도 음식을 구하는 건 그렇게 큰 문제가 아니니 그렇게 신경을 쓰지는 않기로 했다.

은찬이는 집으로 달려갔다. 시간을 조금이라도 아끼려면 빨리빨리 이동해야 한다. 열매를 둘 바구니를 하나 만들어야 한다. 잎으로 만들 수 있지만 그건 너무 오래 걸리니 지금은 잎으로 싸서 놔두기로 했다.

이제 깃털을 씻어야 한다. 깃털을 씻는데 소중한 식수를 사용할 수는 없으니 바닷물로 씻기로 했다.

바닷물로 깃털을 씻었다. 깃털이 물을 튕겨내는 성질을 가지고 있는 것 같았지만 은찬이는 깃털이 부서지지 않을 정도로만 힘을 주어서 깃털을 깨끗하게 씻었다. 깃털을 다 씻고 집으로 갔다.

활 훈련장은 동물이 들어와도 상관없으니, 울타리는 따로 만들지 않고 과녁만 만들 생각이다. 과녁을 만들려면 나무가 필요하다. 알루미늄판을 뜯어서 사용할 수 있지만 그러면 화살이 쉽게 상하고 화살로 맞힐 때마다 소리가 크게 나서 불편하다.

"나무를 써야 하나?"

"하지만 기껏 나무를 구해왔는데 나무가 너무 무겁고 화살이 나무에 꽂히지 않는다면?"

생각해 보니 이 사실도 고려해야 했다.

"그럼, 나무를 대신해서 과녁을 만들 재료가 있나?"

그것도 찾기가 쉽지 않았다. 생각하기도 쉽지 않았다.

'나무와 알루미늄을 대신해서 과녁을 만들 수 있을까?'

"생각해 보자. 오락실 같은데 다트 던지기나 양궁 체험 과녁을 생각해 보면 재질은 플라스틱이잖아. 하지만 여기서는 플라스틱을 구할 수 없어. 구할 수 있다고 해도 조금이겠지. 내가 가지고 있는 생수병까지고는 어림도…."

은찬이는 기발한 생각이 떠올랐다.

이 섬에는 쓰레기가 많다. 이 바닷가를 따라서 걷다 보면 쓰레기 더미… 는 아니고 쓰레기가 여기저기 흩어진 곳이 있다. 은찬이는 거기에서 큰 스티로폼으로 되어 있는 쓰레기를 봤다. 엄청나게 커서 과녁을 만들기에는 딱 좋은 것 같았다. 작은 스티로폼 상자도 본 곳 같은데 그건 열매를 보관하는 통으로 쓰거나 다른 걸 만들면 될 것이다.

"이런 말이 있지. 누군가에게는 쓰레기지만 누군가에게는 보물이다."

(사실 이 말은 레이가 쓸 만한 쓰레기를 찾았을 때마다 하던 말인데 은찬이는 레이의 말을 듣고 이 말을 알게 되었다)

"나는 지금 보물을 찾으러 가는 거야. 하하! 그 쓰레기를 버린 사람한테 고마움이 느껴지네?"

은찬이는 서둘러 바닷가로 향했다. 스티로폼이라면 과녁을 만들 기에는 충분할 거다. 물론 화살촉이 돌인 화살은 쏘지 못하겠지만 가벼운 화살을 사용할 수 있을 거다.

나무를 날카롭게 깎아서 화살촉으로 쓰는 화살과 화살의 앞부분을 깎아서 만든 화살은 훈련에 사용할 수 있을 거다. 돌로 만든 화살은 무거워서 과녁이 망가지고 말 거다. 쓰레기가 있는 곳은 그렇게 멀지 않았다.

은찬이는 커다란 스티로폼을 챙기고 나머지 쓸 만한 쓰레기도 몇 개 챙겼다. 스티로폼 상자, 플라스틱병, 큰 물통, 또 다른 큰 물통, 그리고 왜 있는지는 모르겠지만 파란색 매직이 있었다. 시험 삼아 물통에 칠해보니 그럭저럭 잘 나왔다. 거의 다 쓴 것 같지만 그래도 잘 나오니 괜찮다. 이제 집으로 갔다. 쓰레기를 많이 들고 있지만, 은찬이는 마치 세상을 다 가진 기분이었다.

집으로 와서 쓰레기들을 바닷물에 깨끗이 씻었다. 완전 뽀득뽀득 씻어서 위생 문제는 괜찮을 것 같았다. 하지만 물통 2개는 식수를 담아서 사용하기에는 위생적인 문제가 있어서 생활용수를 담아 쓰기로 했다. (생활용수란 먹는 물이 아닌 몸을 씻거나 물건을 씻는 용도로 쓰이는 물을 말한다.)

은찬이는 굵은 나무막대를 4개 골라서 한쪽 끝을 깎은 뒤 스티로폼을 꽂았다. 그리고 땅에다가 과녁을 꽂아서 단단하게 고정했다. 그리고 매직으로 과녁의 점수를 그리려다가 멈칫했다. 매직을 꼭 써야 할 때가 올 수도 있는데 이 과녁의 점수를 쓰고 그리면 매직을 낭비하는 행동이니 다른 방법을 써야 한다. 은찬이는 나무의 끝부분을 모닥불에 살짝 태웠다. 이 나뭇가지로 그림을 그리면 잉크 대신 재가 나와서 과녁을 그릴 수 있다.

은찬이는 나뭇가지로 과녁을 그렸다. 이런 식으로 계속 그리면 매직을 아낄 수 있다. 한 가지 불편한 점은 재가 나오다가 말아서 중간중간 계속 나뭇가지를 태워서 재가 나오게 해야 한다는 점이다.

하지만 매직을 아낄 수 있다면 그 정도는 아무것도 아니다. 매직은 혹시라도 구조대가 오지 않아서 이 섬에서 탈출해야 할 때 탈출한다는 문자를 남기거나 문자를 남길 때 이 매직을 사용해야 했다. 매직은 최대한 아끼며 써야 한다. 매직은 잉크가 거의 남지 않아서 함부로 썼다간 잉크가 바닥날지도 모른다.

은찬이는 계속 과녁을 그렸다. 과녁처럼 원을 계속 그리고 점수를 썼다. 과녁의 가운데 부분은 100점으로 썼다. 과녁을 다 만들었다. 공사에 걸리는 시간이 5시간 정도 걸릴 것 같았는데 과녁을 한 시간 만에 만들었다.

훈련장에 횃불만 두어 개 두면 될 것 같았다.

이제 과녁에 활을 쏴볼 시간이다. 은찬이는 화살을 꺼낸 뒤 활시위를 당겼다.

"100점 나와라 100점!"

"피융!"

화살은 7점에 꽂혔다. 이정도면 그럭저럭 괜찮은 정도다. 8미터 밖에서 쐈으니 첫 시도 치고는 꽤 괜찮았다.

앞으로 매일 연습한다면 활 쏘는 실력은 점점 나아질 거다. 앞으로 매일 일어나서 30분 정도는 활쏘기 연습을 해야 한다.

하지만 문제가 하나 있다. 여기서 지내려면 매일매일 아주 바쁜 하루를 보내야 한다. 그런데 활쏘기 연습으로 30분을 바쁜 일정에 추가한다면 은찬이는 지금보다 더 바빠질 거다. 내일도 쓸 만한 물건을 구해와야 하는데 물건을 구하는 걸로 몇 시간은 소비할 것이다.

과녁을 만드니 노을이 지고 있었다. 이제 먹을 걸 구해와야 한다.

은찬이는 재빨리 낚싯대를 챙겨 바다로 갔다.

오늘은 작은 물고기 한 마리밖에 잡지 못했지만, 한 끼 식사로는 충분했다. 오늘은 생선을 구워서 먹기로 했다.

생선을 매일 먹는 이유는 생선을 구우면 약간 짠맛이 나는 걸로 보아 생선에 소금기가 있어서 소금을 섭취할 수 있기 때문이다.

은찬이는 집으로 와서 생선을 구울 준비를 했다.

모닥불에 땔감을 더 넣으려고 땔감을 봤는데 땔감이 거의 다 떨어져 있었다. 하지만 좋은 점도 있다. 땔감으로 쓰려고 주워 온 썩은 나무에서 애벌레가 나왔기 때문이다. 몸의 크기에 비해 아주 많은 단백질을 보유하고 있어서 두 마리에서 세 마리만 먹어도 쇠고기 100g을 먹는 것과 같은 양의 단백질을 섭취할 수 있다.

애벌레 한 마리와 생선구이 하나면 저녁으로 충분한 양이였다. 애벌레는 구우면 영양소가 파괴될 것 같은 느낌이 들어서 그냥 먹기로 했다. 은찬이는 애벌레의 머리를 떼어내고 애벌레를 입에 넣었다. 살짝 역겨운 느낌이 있었지만 그래도 참고 애벌레를 다 먹었다. 맛있다고는 할 수 없지만 그래도 영양소를 섭취했으니 그걸로 됐다.

애벌레를 다 먹고 나니 생선도 다 구워졌다. 은찬이는 바로 생선을 한 입 베어 물었다. 아주 맛있었다. 그리고 열매도 하나 먹었다. 식수가 한 모금 분량밖에 남지 않아서 수분은 열매를 섭취해야 한다. 내일은 냇가에서 물을 떠 오기로 했다.

저녁을 다 먹고 남은 생선 뼈와 대가리를 바다에 던져 버렸다. 그리고 깃털을 가지고 집 안에 들어가 깃털을 붙이며 밤을 보냈다.

깃털을 붙인 화살을 쏴보고 싶은 마음이 굴뚝 같았지만, 밖이 너무 어두워서 포기했다. 지금 화살을 쏘면 화살을 수거하기가 힘들 수도 있기 때문에 내일 훈련할 때 쏴 보기로 했다.

이제 잠을 자야 한다. 오늘부터 일찍 자야 해서 지금 바로 자야 한다. 은찬이는 잎으로 만든 이불을 덮고 잠이 들었다.

다음날 은찬이는 일어나서 열매를 먹고 활쏘기 연습을 했다. 어제 활에 깃털을 붙였는데 그 화살을 쏠 거다.

은찬이는 활과 화살을 가지고 화살 훈련장으로 갔다. 아직 미완성이지만 횃불만 두 개 정도 놓으면 그럭저럭 완성인 것 같았다. 은찬이는 화살을 장전하고 활시위를 당겼다.

"100점 나와라. 100점!"

"피 융!"

결과는?

9점이다! 은찬이는 너무 기뻤다. 8미터 거리에서 9점이면 사냥할 때 너무 작은 동물만 아니면 명중시킬 수 있을 거다.

"이정도면 활쏘기 실력 괜찮은데?"

앞으로 계속 연습하다 보면 활쏘기 실력은 점점 높아질 거다. 구조대가 그때까지 오지 않는다고 가정했을 때

"두 달에서 석 달 정도 연습하면 원주민들의 활쏘기 실력과 비슷해질지도?"

은찬이는 한 시간가량 활쏘기 연습을 했다. 대부분 7점에서 9점이었다.

이제 일을 할 시간이다.

은찬이는 생활에 필요한 물자를 구하기로 했다. 대나무도 가져오고 쓰레기장에서 필요한 것도 가져올 생각이었다. 넝쿨이나 식물의 줄기를 가져와서 끈도 만들고 끈으로 다른 도구도 만들면서 하루를 보내면 된다. 그동안 곰을 만나고 덫을 만들며 힘든 일을 했다면 오늘은 집에서 도구를 만드는 일을 해야 할 것 같았다. 도구를 만드는 일은 재료를 구할 때 빼고는 집 안에서 앉아서 만드는 거라서 그렇게 힘든 일이 되지는 않을 것 같았다. 일단 낚시를 해서 점심을 먹은 뒤에 물자를 구하면 될 것 같았다. 은찬이는 재빨리 낚시해서 생선 한 마리를 잡은 뒤 부에 구워 먹었다. 그다음 물자를 구하러 출발했다. 우선 대나무부터 구하기로 했다. 대나무는 은찬이의 도끼로 충분히 벨 수 있으므로 많이 구할 수 있다.

양쪽이 막힌 대나무를 반으로 갈라서 그릇을 만들거나 급할 때는 솥으로 쓸 수도 있다. 그리고 한쪽만 막힌 대나무에다가 돌멩이를 끼워 넣으면 망치가 된다. 꼭 대나무뿐만 아니라 나뭇가지 두 개로 젓가락을 만들어서 사용할 수 있고 끈이 있다면 활도 하나 더 만드는 것이 가능하다.

그리고 새끼를 꼬아서 끈을 더 단단하게 만든 다음 돌팔매 같은 원거리 무기도 만드는 것이 가능하다.

은찬이는 대나무 숲으로 향했다. 대나무 숲은 은찬이가 발견한 장소 중 좋은 장소 중 하나였다. 대나무도 많고 주위에 냇가도 있어서 물과 대나무를 동시에 얻을 수도 있다. 은찬이는 도끼를 꺼내 들고 대나무를 베기 시작했다. 대나무를 자르면 물이 나와서 중간중간 물을 마실 수 있는 것도 대나무숲의 장점 중 하나다. 충분하진 않지만 그래도 두 번에서 세 번 정도 마시면 갈증은 해결된다.

대나무를 베면 대나무가 쓰러진다. 하지만 대나무는 부피에 비하면 무게 적기 때문에 은찬이는 대나무를 잡아서 땅에 내려놓을 수 있었고 대나무 두 개는 들 수 있었다.

대나무는 열 그루 정도 배어 갈 것이다. 대나무는 쓸모가 많고 많을수록 좋으므로 부족할 때마다 하나씩 꺼내어서 사용하면 된다. 대나무 한 그루를 베는 데 걸리는 시간은 15초에서 20초 정도다. 지금은 세 개를 배었으니 5분 안에는 전부 밸 수 있다. 하지만 은찬이는 대나무를 세 개씩 끌고 갈 수 있으니, 집까지 세 번 정도 왕복해야 한다.

다행인 점은 대나무 숲이 집과 가까워서 시간은 그렇게 오래 걸리지는 않을 거라는 점이다. 앞으로 20분 안에는 이 일을 끝낼 수 있을 것이다. 은찬이는 대나무 열 개를 다 배고

네 개씩 끌고 갔다. 네 개는 조금 힘들었지만 끌고 가는 건 가능한 것 같았다. 집까지 대나무를 끄는 데 성공했다. 은찬이는 대나무를 마당에 놔두었다.

마당은 아주 넓어서 대나무 20개를 놔두어도 자리가 남을 것 같았다. 대나무를 놔둔 뒤 서둘러 다음 대나무를 가지러 갔다. 뛰어가면 1분 거리다.

'왜 여기를 발견 못 했을까? 엄청 가까운 곳에 있는데….'

아마 계속 대나무 숲과 반대 방향에 있는 숲만 가서 여기를 늦게 발견한 걸지도 몰랐다. 생각하는 사이 벌써 도착했다. 이번에도 나무 네 개를 들고 이동했다.

아무리 가벼운 대나무지만 네 개를 한 번에 옮기는 건 너무 힘들었다. '너무'는 아니지만 그래도 힘들 수밖에 없다. 이정도 부피에 비해 가볍다는 거지 그렇게 가벼운 것도 아니다. 네 개를 끌고 오니 드는 것보단 힘이 덜 들지만 그래도 쉬면서 가지 않으면 어려웠다. 은찬이는 중간중간마다 쉬면서 이동했다.

레이는 어떨 때는 힘들어도 참고 앞으로 나아갈 때가 있지만 어떨 때는 잠시 쉬면서 체력을 충전하고 머리를 식히며 주위를 둘러봐야 할 때도 있다고 했다. 쉬는 건 게으름이 아니라 잠시 쉬면서 에너지를 보충하고 몸과 마음을 진정시키며 주위를 둘러보아서 먹을 음식이나 쓸 만한 물자를 발견할 수도 있는 현명한 생존 수단이다. 하지만 너무 많이 쉬면 몸이 게을러질 수 있으니 적당히 쉬는 시간을 조절해야 한다.

대나무를 가지고 오는 데 5분이 걸렸다. 이런 식으로 일하면 10분 뒤에는 물자를 구하러 갈 수 있을 거다. 대나무를 가져다 놓고 바로 출발하면 된다.

어느새 집에 도착했다. 대나무를 내려놓고 다시 대나무 숲으로 갔다. 풀잎에 애벌레가 있어서 몇 마리 잡아먹었다. 은찬이는 이 섬에 오기 전부터 생존을 좋아했지만 그땐 아마 애벌레를 먹는 건 거부했을 것이다.

하지만 지금은 애벌레를 먹는 걸 다행스럽게 여기고 있다. 생존이라는 활동에 어느 정도 적응이 된 것이다.

대나무 숲에서 나머지 두 그루의 대나무를 끌고 집으로 출발했다. 네 그루를 옮기다가 두 그루를 옮기니 훨씬 편해졌다. 하지만 반대로 생각해 보자.

'만약 대나무 두 그루를 옮기다가 네 그루를 옮긴다면?'

지금이 상황과 반대로 엄청 무겁게 느껴졌을 것이다. 이런 생각을 하니 아빠가 자주 말하던 말이 생각났다.

"항상 편한 것에 익숙해지면 안 돼 네 인생에서 불편함이라는 것이 아직 많이 남아 있을 거고 편한 것에 익숙해지면 넌 그 불편함이라는 걸 이겨낼 수 없어"

"지금 생각하니 아빠 말씀이 맞네요. 아빠. 보고 싶어요."

돌아가고 싶다면 생존해야만 하고 그러기 위해선 이 대나무들을 옮겨야 한다.

은찬이는 나무를 끌고 집으로 향했다. 이제 이것만 옮기면 끝이다. 물자를 구하기만 하면 뜨끈한 집에 누워서 무기나 생활에 필요한 도구들을 만들 수 있다.

"잠깐만! 땔감도 구해야 하잖아!"

하지만 몇 초 뒤 은찬이는 그렇게 걱정할 이유가 없다는 걸 알았다. 땔감이야 아주 쉽게 후할 수 있다. 저번에 깃털을 줍고 집에 오는 길에 마른나무가 아주 많이 있었다.

"내가 그때 왜 그 나무들을 줍지 않았지?"

이상하다. 은찬이라면 그 나무들을 주웠을 텐데….

아! 그때는 곰 때문에 무서워서 정신이 없었다.

곰은 영역을 침범하지 않은 은찬이에게 관심이 없었지만, 은찬이는 그 곰을 두려워하고 있었기 때문에 무서워서 정신이 없었다.

집이 보였다.

이제 대나무 일은 끝이다. 이제 물자를 구하자! 그러면서 땔감도 구해야지. 오늘은 정말 쉬는 날처럼 모든 일이 전에 하던 일보다 쉽고 간편하다. 하지만 일이 쉽거나 간편하다고 이 일들이 중요하지 않다는 건 아니다.

생활 도구나 무기는 앞으로 사용하게 될 중요한 것들이고 생활에 쓸 만한 물건과 끈 역시 아주 중요한 것들이다. 이 일들은 간편하지만 아주 중요하고 앞으로의 생활에 기본이 될 일들이다. 그러므로 아주 중요한 일이라고 할 수 있다.

이제 창과 활, 화살을 챙겨서 물자를 구하러 갈 것이다. 은찬이는 어제 완벽한 무기를 소지하며 이동하는 법을 터득했다. 그동안 활과 창을 두 개 다 들고 다니니 떨어뜨리고 손이 부족해지는 일이 생겼지만, 이제는 완벽한 무기 소지법을 터득했다. 활을 메고 창이 활을 통과하도록 메는 방법이다. 은찬이가 활을 메면 활이 꽉 끼는데 꽉 끼는 활이 창을 잡아준다. 그래서 창이 흘러내리지 않는다.

움직이는 데는 아주 조금 불편함이 있지만 그래도 무기를 안정적으로 메고 다닐 수 있다면 이정도 불편함은 감수할 수 있다. 솔직히 이정도면 이득을 보는 셈이다.

은찬이는 어제 쓸 만한 것들을 많이 구했던 쓰레기장으로 갔다. 아직 쓸 만한 물건들이 남아 있을지도 모른다. 쓰레기장에 도착했다. 어제 놓친 큰 통을 몇 개 줍고 나머지 쓸 만한 물건들을 찾아보았다. 끊어진 그곳이 너무 많은 그물 하나, 또 다른 통, 비닐봉지였다. 아주 많이 낡은 그물은 좋은 수확이다. 그물이야 고치면 다시 쓸 수 있다. 은찬이에겐 반짇고리 세트도 있어서 그물을 고치는 것이 가능하다. 강 같은 곳 중

앙에 그물을 설치해 두면 물고기가 수십 마리는 잡힐 거다. 한두 마리 빼고 전부 훈제로 만들면 먹을 걱정은 정말 없을 거다. 아마 회로 먹고 구워서 먹고 삶아서도 먹고 전부 가능할 거다.

"이 그물은 정말 좋은데?"

물론 심하게 낡아서 고치는 건 정말 어렵겠지만 그래도 고치는 데 성공한다면 이건 정말 큰 행운이다. 그물이 있다면 굳이 낚싯대로 낚시하지 않아도 된다. 그물을 강에다가 설치만 해 두면 그 강을 지나는 모든 물고기가 그물에 걸리게 된다. 그러면 은찬이의 생활은 정말 편해질 거다. 은찬이는 집 마당에 주운 물건들을 놔두었다. 집 안이 점점 필요한 물건들로 가득 차는 것 같았다.

은찬이가 이 집을 다 짓고 난 직후에는 마당에 아무것도 없었다. 하지만 은찬이가 이 섬에서 살아가는 날이 늘어날수록 이 마당에는 물건들이 차지하는 공간이 넓어지고 있다. 당연한 일이지만 참 신기했다.

은찬이는 숲으로 출발했다. 땔감과 끈으로 만들 넝쿨과 식물의 줄기를 찾기 위해서다. 돌도 조금 주워갈 생각이다. 그리고 주워 온 재료들로 무기를 만들며 오늘 하루를 보낼 것이다. 도끼도 만들고 창이나 칼도 만들고 동물의 공격을 막을 수 있는 방패도 하나 만들어 보려고 한다. 방패는 튼튼한 재료로 만들어서 맹수의 공격을 막을 수 있을 정도로 튼튼하게 만들어 보려고 한다. 그래도 방패가 있다면 어느 정도 도움이 될 거다. 물론 곰 같이 힘이 엄청나게 강한 동물의 공격은 방패로 막아도 팔이 아프겠지만 그래도 멧돼지나 너구리 같은 동물들의 공격 정도는 막을 수 있도록 만들 것이다.

은찬이는 저번에(저번이라고 하기에는 아주 오래전 일인 것처럼 느껴졌다.) 낚싯대를 만들 때 낚싯줄을 만들려고 가져간 식물의 줄기를 찾았다. 그 식물은 여전히 은찬이의 키만 했다. 은찬이는 그 식물의 줄기를 뜯었다. 줄기가 조금 두껍고 아주 길어서 이 줄기로 새끼를 꼬아서 끈을 만들면 아주 튼튼한 줄이 될 것이다.

줄기를 주머니에 쑤셔 넣고 땅에 떨어진 돌을 주웠다. 도끼날로 쓸 만한 크기와 날카로움을 가진 완벽한 돌도 발견했다.

다음은 나무다. 은찬이는 나무를 주우러 갔다. 은찬이가 본 그대로 그곳에는 마른나무가 있었다. 이정도의 나무면 4일은 땔감 걱정 없이 지낼 수 있을 것이다. 나무도 주웠겠다. 이제 집으로 출발했다. 물건이 너무 많아서 더는 손으로 뭘 들 수 없을 것 같았다.

은찬이는 얼른 집으로 돌아갔다. 주워 온 물건들을 마당에 두고 씻어야 할 물건들을 들고 바닷가에 갔다. 바닷물로 깨끗이 씻고 다시 집으로 가서 씻은 물건들도 마당에 두었다.

이제 집으로 들어가서 도구들을 만들면 된다. 힘든 일은 그만해도 된다. 이제 집 안에서 도구들을 만든다.

모닥불이 거의 꺼졌지만 은찬이는 불을 붙이지 않았다. 지금은 아마 오후 1시 정도 될 거다. 지금 밖은 몹시 더워서 굳이 불을 붙일 필요는 없다. 불은 꺼졌지만, 불씨는 저녁까지 살아있을 거다. 바람을 불어서 불을 살리면 되니 지금은 불을 붙이지는 않을 것이다.

은찬이는 집으로 들어가 무기를 만들 준비를 했다. 도끼부터 만들어야 한다. 대나무를 많이 베서 도끼날이 많이 상해 있었다. 도끼를 새로 만들어야 했다.

아까 은찬이가 주워 온 줄기로 줄을 먼저 만들어야 한다. 새끼를 꼬는 일은 그렇게 어렵지 않았다. 다만 오래 걸릴 뿐이다.

"새끼꼬는 거 생각보다 어렵네…."

은찬이는 새끼를 꼬아서 만들어진 줄을 보았다.

"이정도면 적어도 도끼질하다가 끊어지지는 않겠네…."

이제 새끼를 꼬는 건 멈추고 줄의 끝부분을 묶었다. 50센티미터 정도 되는 줄을 완성했다. 은찬이는 시험 삼아서 줄을 꽉 당겨보았다. 줄은 끊어지지 않았다. 튼튼하게 잘 만든 것 같았다.

도끼날을 더 날카롭게 만들기 위해 다른 돌로 도끼날이 될 돌을 깎았다. 돌을 더 날카롭게 만들기는 생각보다 어려웠다. 조금만 실수해도 바로 돌의 모양이 이상해질 수 있기 때문에 조심해야 했다. 그리고 돌의 크기와 무기를 신경 쓰며 깎아야 하니 참 까다로웠다.

"나중에 엄마 아빠를 만나면 전부 말해 줘야지~"

엄마 아빠한테 말해 줄 사건들이 차고도 넘친다. 우선 여기에 어떻게 오게 됐는지도 말해줘야 하고 또 여기서 일어난 사고도 말해 주어야 한다. 어떻게 살아남았는지도 다 말해 주고 여기 온 첫날에 오렌지만 먹으며 생존한 이야기도 해주고 싶었다. 무엇보다 곰과 마주치고도 살아남은 이야기를 해주고 싶었다. 그리고 오늘 새끼를 꼰 일이 어려웠다는 것도 추가다.

드디어 돌을 다 깎았다. 이제 나무막대에 돌을 단단히 묶어서 고정할 거다. 저번처럼 단단히 묶지 않으면 도끼질하다가 도끼날이 날아가서 다칠 수 있기 때문에 정말로 힘을 줘서 꽉 묶어야 한다. 저번처럼 잘 만들지는 않았지만 그래도 이정도면 괜찮은 편이다.

시험 삼아서 숲에 있는 나무를 때려 보았다. 도끼질도 어느 정도 잘 되었다.

"오케이!"

도끼 만들기는 끝났다. 이제 줄을 더 만들기로 했다. 창에 날카로운 돌을 달아서 위력을 더 강하게 만들고 싶은데 그러면 줄이 더 많이 필요하다. 넝쿨은 충분하니 줄을 만드는 데에는 지장이 없다.

"다시 찾아온 지옥의 줄 만들기의 시간"

은찬이는 집으로 들어가 다시 줄을 만들었다. 줄을 만드는 일은 허리도 아프고 힘들지만 그래도 숲에서 맹수에게 죽을 위험까지 감수하며 물자나 먹을 걸 구하는 일보다는 훨씬 좋다고 생각했다.

열매를 두 개 먹고 다시 일에 집중했다. 이 열매 나중에 구조될 때 챙겨서 이 열매가 무슨 열매인지 알아봐야겠다. 너무 맛있어서 집에서도 계속 생각이 날 텐데 마트에서 살 수 있도록 이 열매가 무슨 열매인지 알아야 했다.

넝쿨로 줄을 만드는 건 정말 힘들지만 재밌는 작업이기도 했다. 넝쿨로 줄을 만들면 뿌듯함이 가슴을 가득 채웠다. 이 줄은 쓸모가 많으니 앞으로도 계속 가지고 있을 것이다.

두 번째는 줄을 가지고 장난을 칠 수 있었다. 줄로 재빨리 올가미를 만들어서 장난을 쳤다. 올가미로 집 안에 있는 땔감을 집어서 흔들다가 머리를 맞았지만, 그것만 빼면 꽤 재밌었다.

어느새 은찬이는 줄을 다 만들었다. 길이는 50센티미터부터 1미터까지 다양했다. 이 줄들로 무기도 만들고 생활에 쓸 만한 것들도 만들 것이다. 또 덫을 더 만드는 데에도 줄이 필요하다. 집으로 돌아가면 엄마, 아빠한테 줄의 필요성이 얼마나 많은지는 꼭 말하기로 했다.

"생각보다 줄이 엄청 중요하더라. 줄이 없었다면 난 도끼를 더 강하게 만들 수 없었을 거고 덫을 만들 수도 없었을 거야."

이렇게 말하면 될 것이다. 아마 구조되면 엄마 아빠한테 이 섬에서 살아남은 이야기를 하면 아마 하루 종일 이야기를 해야 할 것이다. 여기에 온 첫날 이야기만 해도 1시간은 더 걸릴 것이다.

은찬이는 부모님에게 여기서 지낸 이야기를 어서 하고 싶었다. 빨리 구조대가 오면 좋을 텐데….

이제 할 일은 끝났다. 이제 좀 쉬려는데 배에서 꼬르륵 소리가 들렸다. 줄을 만드느라 점심도 먹지 않아서 배가 고팠다.

"낚시나 하러 가야겠다."

은찬이의 낚시 실력은 갈수록 늘고 있었다. 첫날에는 첫 물고기를 잡는데 10분이 넘게 걸린 것 같지만 지금은 5분도 되지 않아 물고기를 잡을 수 있다. 덕분에 먹을 것 구하기가 엄청나게 쉬워졌다.

"이야~ 이놈은 좀 크네⋯."

첫날에 잡은 물고기보다는 작지만, 이놈도 35센티미터는 되었다.

"예~ 이건 회 떠서 먹어야지~"

은찬이는 집으로 달려갔다. 그리고 불로 칼을 소독한 뒤 생선을 잘라서 회처럼 보이는 부분을 물어뜯었다.

요즘 먹는 습관이 게걸스럽게 변하고 있었다.

"이러다 구조되어서 집으로 돌아가면 나 이상해지는 거 아니야? 예를 들어 뷔페에서 손으로 음식을 게걸스럽게 먹는 거 아니야?"

"그러면 진짜 웃기긴 하겠다."

은찬이는 생선을 다 먹고 쓰레기를 바다에 버리는 것도 잊지 않았다.

이제 숲에 가볼까?

늦은 점심을 다 먹으니 할 일이 없었다.

"숲이나 가서 필요한 거나 찾아야겠다."

숲에서 나무를 구해오면 될 것이다. 나무로 물건을 만들고 다른 필요한 물건들도 구할 수 있을 것이다.

은찬이는 창과 활을 챙겨서 숲으로 향했다. 숲에서 맹수를 마주칠 때 무기가 없다면⋯.

"으아~ 상상도 하기 싫어!"

은찬이는 숲으로 들어갔다. 나무에서 애벌레도 찾았다. 좀 더 들어가니 제법 쓸 만한 통나무가 있었다. 이건 무거우니 있다가 집으로 옮기기로 하고 조금 더 깊이 들어가서 땔감이나 다른 걸 찾기로 했다.

숲에 깊이 들어가니 신선한 공기가 마셔졌다. 땔감으로 쓸 만한 나무를 몇 개 찾아서 가방에 넣었다. 마른나무여서 불이 잘 붙을 거다. 지푸라기도 주웠다. 불이 잘 붙지 않을 때는 이게 최고다. 위험을 무릅쓰고 조금 더 들어가니 나무에 먹음직스러운 열매가 있었다. 독이 있는 열매 특유의 화려한 색은 아니었다. 그래도 혹시 모르니 잔뜩 따서 집으로 가져간 뒤 아주 조금만 맛보고 괜찮으면 먹을 것이다.

이제 집으로 가려는데 뒤에서 부스럭부스럭 소리가 들렸다. 뒤를 돌아보니….

다람쥐였다.

"휴~ 다람쥐였…."

그런데 엄청나게 큰 개가 짖는 소리가 났다.

돌아보니 늑대가 한 마리 있었다. 영화나 만화책에서 본 것처럼 크지는 않지만 그래도 늑대라니!

'어떡하지? 도망갈까? 도망가봤자 금방 잡힐 거야 늑대는 시속 80킬로미터까지 달릴 수 있으니까. 싸울까? 싸우면 내가 질 확률이 너무 높은데….'

둘 중 선택해야 했다. 하지만 답은 뻔했다. 도망치다 죽는 것보단 싸우다 죽는 편이 낫으니까.

은찬이는 창을 꺼내고 늑대를 노려보았다. 늑대에게 등을 보이는 건 사냥감을 쫓으라는 뜻이니 등을 보여서는 안 된다.

"컹컹!"

늑대가 달려들었다. 은찬이는 옆으로 몸을 날려 늑대를 피하고 소리를 질렀다.

"아아아아아아아아아아아아!"

그리고 창을 휘둘렀다. 가방도 던져 버렸다.

"꺼져! 저리 꺼지란 말이야!"

창을 위협적으로 휘두르고 목이 찢어져라 소리를 질렀다.

"으아아아아아아아아!"

땔감을 늑대 머리에 힘껏 던졌다. 너무 세게 던져서 늑대는 머리를 흔들었다.

"저리 가! 꺼져!!"

늑대가 다시 달려들었다. 이번에는 피하지 못했다. 다행히도 늑대는 은찬이를 죽이려는 게 아니라 밀어 버렸다. 은찬이는 갈비뼈가 아팠지만, 창으로 늑대를 세게 내리쳤다. 너무 세게 내리쳐서 꼭 팔이 깨질 것 같았다. 그리고 창으로 늑대를 찌르려고 했다. 늑대도 은찬이에게 달려들었다. 그리고 넘어진 은찬이에게 올라탔다. 하지만….

"퍽!"

은찬이가 주먹으로 늑대의 얼굴을 힘껏 때렸다. 그리고 발로 늑대를 찼다. 늑대가 물러섰다.

일어설 기회다.

은찬이는 일어나서 늑대를 노려보았다.

"꺼져!"

늑대는 은찬이를 노려보며 컹컹 짖고는 가버렸다.

···

은찬이는 멍해졌다.

"내가 늑대를 이긴 거야?"

"으아아아아아아아아아아아아아아아아아아아아아아아아!"

"난 늑대도 물리쳤어! 이제 아무도 날 막지 못해!"

"이제 맹수가 무서워하던 때는 지났어! 이제 너희 차례야!"

"이제 너희가 날 두려워해야 해! 어디 덤벼봐! 난 달라졌어! 여기 온 첫날의 내가 아니란 말이야! 난 강해졌어!"

그 뒤로 은찬이의 삶은 달라졌다.

진화

'사냥감이다!'

은찬이는 풀숲에서 사냥감을 발견했다. 물론 소리는 내지 않았다. 이런 상황에서 소리를 내지 않는 건 두 달 전에 깨달 았다. 은찬이는 활시위를 당겼다. 소리를 내지 않으려고 활을 미리 꺼내 놓았다. 이런 건 사냥의 기본이다.

은찬이는 지금 물가에서 물을 마시고 있는 멧돼지를 노리고 있었다. 제법 살이 오른 녀석이다. 절대 그냥 보내지 않을 것 이다. 은찬이는 활시위를 당겼다. 화살은 한 달 전에 강화해서 이제 멧돼지나 사슴 같은 동물들도 잡을 수 있게 되었다.

머리를 조준하고….

"피융!"

명중이다. 멧돼지는 화살을 머리에 맞고 쓰러졌다. 은찬이는 멧돼지에게 달려가 창을 목에 꽂아 숨통을 끊었다.

"이정도 수확이면 나쁘지 않군!"

은찬이는 멧돼지를 들고 집으로 향했다.

은찬이는 주머니칼을 들고 멧돼지의 배를 갈랐다. 그리고 손을 집어넣어 내장을 꺼냈다.

"우두둑!"

내장은 아주 컸다. 은찬이는 내장을 던지고 손을 씻었다. 내장은 바다에 버려야 한다. 한 달 전에 귀찮아서 내장을 마당에 던져 버린 적이 있었는데 다음날 일어나보니 벌레가 아주 많이 꼬여 있었다. 그걸 없애느라 은찬이는 하루를 다 써야 했다. 지금도 그 생각을 하면 정말 피곤해진다.

은찬이는 가죽을 벗겼다. 가죽은 쓸모가 많다. 은찬이는 지금까지 멧돼지를 다섯 마리 정도 잡았는데 가죽을 벗겨서 보관 중이다. 오늘 잡은 가죽까지 합하면 두껍고 따뜻한 털옷을 만들 수 있을 것이다.

지금은 11월 9일이다. 저번 주부터 날이 추워서 은찬이는 바람막이를 꺼내 입고 다녔는데 이제 바람막이를 입어도 춥다. 서둘러 털옷을 만들어야 한다.

이제 5일간 먹을 수 있는 고기가 나왔다. 이중 반은 덫을 만드는 데에 쓸 거고 나머지는 먹을 것이다. 이미 훈제 고기도 잔뜩 있기 때문에 이 고기는 구워서 먹을 거다.

"고기를 굽고 나머지는 끓여서 내일도 먹어야지"

끓이면 내일 저녁까지는 보관할 수 있으니, 내일은 끓인 고기를 먹기로 했다.

"맛있겠다. 여기서 먹는 돼지고기는 언제 먹어도 맛있다니까!"

은찬이는 모닥불 앞에 앉았다. 얼굴에 진흙을 바르고 넉 달 전보다 훨씬 날카로운 창과 위력이 더 강해지고 조준까지 가능해진 활을 가지고 있었다. 얼굴을 포함한 피부는 까맣게 탔고 키는 훌쩍 자라 있었다.

한마디로 넉 달 전 은찬이가 늑대를 이길 때와 전혀 다른 모습이었다. 은찬이는 늑대를 이긴 뒤로 몰라보게 달라졌다. 달라진 것보다는 발전했다는 표현이 맞지만 어쨌든 은찬이는 그날 이후로 새로 태어났다.

그동안 정말 많은 일을 겪었다. 먼저 무기를 더 강하게 만든 날이 있었는데 정말 기뻤다. 은찬이는 그날 새로 만든 활을 쏴 봤는데 과녁 한 가운데인 100점이 나왔다.

이제 활로 반경 12미터 안에 있는 사냥감의 머리를 정확하게 맞힐 수 있다.

처음 멧돼지를 잡은 날도 빼놓을 수는 없다. 그때 멧돼지의 몸을 맞혀서 멧돼지가 심하게 날뛰기는 했지만 결국 사냥에 성공했다.

그리고 집을 더 안전하게 만든 날도 있다. 은찬이는 길이가 1미터 정도 되는 짧고 굵은 통나무를 쌓아서 벽을 만들었다. 도끼로 통나무를 찍어 홈집을 내 간이 사다리도 만들었다. 사다리는 벽에 기대어 놓았다. 주변을 둘러볼 때 좋았다.

그동안 겪은 일을 생각하니 웃음이 나왔다.

물론 좋은 일만 생긴 건 아니다. 은찬이는 또 한 번 곰과 마주쳤는데 늑대무리가 곰을 습격하는 바람에 은찬이는 곰한 테서 빠져나올 수 있었다. 그 늑대들은 은찬이의 생명의 은인인 셈이었다.

생각하는 사이 고기가 구워졌다. 아주 맛있는 냄새가 났다. 은찬이는 고기를 크게 한입 베어 물었다.

"이야~ 맛있다. 정말 꿀맛인걸?"

돼지고기는 언제 먹어도 맛있다. 하지만 돼지고기는 역시 여기서 먹는 게 가장 맛있다. 불맛은 기본이고 부드럽고 기름진 고기를 한입 가득 먹을 수 있다. 거기다가 비계는 덤이다. 비계는 너무 많이 먹으면 느끼하지만 고기와 같이 조금만 먹으면 맛이 아주 끝내준다.

어느새 고기를 다 먹었다.

이제 옷을 만들어야 한다. 요즘 너무 추워져서 모닥불 앞에 앉아있는 것이 아니라면 너무 추워서 할 일에 집중할 수 없을 정도이다. 멧돼지 털옷은 충분하니 남은 건 은찬이의 바느질 실력이다. 하지만 은찬이는 바느질을 잘하는 편이 아니었다.

'못하진 않지만, 과연 바느질로 옷을 만들 수 있을까? 가죽과 가죽을 연결할 수 있을까?'

"일단 해보자. 몸 부분을 만들고 남는 가죽으로 팔과 다리를 만드는 거야. 내 몸보다 조금 더 헐렁하게 만드는 것만 신경 쓰자."

은찬이는 반짇고리 세트에서 바늘과 갈색 실을 꺼냈다. 먼저 몸 부분을 만들었다. 가죽 두 개를 은찬이의 몸에 조금 헐렁하게 감쌌다. 은찬이는 그 가죽들을 바느질로 합쳤다. 그리고 그 자리에 한 번 더 촘촘하게 바느질해서 고정했다. 이렇게 고정했으니 옷이 찢어지지는 않을 거다.

또 다른 가죽을 꺼내 얼굴이 통과할 구멍을 내고 윗부분과 합쳤다. 팔이 통과할 구멍도 만들었다. 이제 팔만 만들면 상의는 완성이다. 팔은 자르고 남은 가죽을 합쳐서 만들었다.

한쪽 팔에만 끼워보니 가죽이 잠바처럼 두껍지는 않지만, 매우 따뜻했다. 팔을 상의에 합치는 건 쉬웠다.

상의는 완성했는데 바지를 만들어야 했다. 바지는 상의보다 더 어려울 것 같다. 다리 크기에 맞추기가 어렵고 혹시 실수 했을 경우 바지를 만드는 일을 무용지물로 만들 수 있으므로 실수하지 않고 만드는 게 중요했다.

은찬이는 바지를 만들기 시작했다. 먼저 다리를 감쌀 부분 부터 만들었다. 이번에도 약간 헐렁하게 감싸는 걸 잊지 않았 다. 바느질로 고정하고 이제 허리를 가죽으로 둘렀다. 이번에 는 바지가 흘러내리지 않게 조금 딱 맞게 감쌌다. 이런 방식 으로 은찬이는 옷을 완성했다. 바지와 상의를 입으니 아까보 다 훨씬 따뜻해졌다.

옷을 다 만들었으니 숲에 가야 한다. 은찬이는 요즘 새를 찾고 있었다. 크기가 비둘기 정도 되는 새인데 새고기도 맛있 지만, 깃털을 수집할 수 있어서 새 잡기는 아주 일석이조라고 볼 수 있다. 숲으로 가서 새를 약 세 마리에서 네 마리 정도 잡아 오면 될 것 같았다.

"그쯤이야 진화한 나에게는 쉬운 일이지!"

은찬이는 창과 활을 메고 출발했다. 조용히 새 가까이 다가 가서 창을 휘둘러서 잡아도 되고 멀리서 활로 잡아도 된다. 은찬이는 활로 잡는 걸 선호하는 편이지만 새의 크기가 너무 작아서 활을 쏜다고 100퍼센트 명중한다고 볼 수 없다. 사실 창을 휘둘러서 잡는 편이 더 성공률이 높다.

하지만 은찬이는 활쏘기 연습도 할 겸 활로 잡을 것이다.

활로 작은 동물들도 잡을 줄 알아야 하기 때문에 이 사냥은 미래를 위한 연습도 될 것이다.

숲으로 들어갔지만, 은찬이는 계속 걸었다. 새를 잡으려면 숲의 안쪽으로 들어가야 했다. 곰이 있는 곳과 숲 끝부분의 중간 정도였다. 쉽게 말해 숲의 삼분의 일 만큼은 들어가야 한다. 그러니 20분은 걸어야 한다.

은찬이가 숲에 깊이 들어가도 길을 잃지 않고 집을 찾아오는 이유는 나무에 길, 표시를 하기 때문이다.

"아! 그건 예전이고 지금은 나무에 올라가서 집의 위치를 확인하지?"

그렇다. 은찬이는 이제 나무도 탈 수 있다. 이 숲에는 보통 높이의 나무가 많지만, 가끔 아파트 5층 높이의 나무가 나올 때가 있다. 은찬이는 그 나무에 올라갈 수 있다.

여기 오기 전만 해도. 아니 석 달 전만 해도 은찬이는 고소공포증이 있어서 이렇게 높은 나무는 올라가지 못했다. 하지만 지금은 이런 나무 정도야 일도 아니다. 물론 고소공포증은 아직도 남아 있지만 이런 나무에 오르는 건 늘 해오던 일이라 이제 쉽게 느껴졌다. 올라갈 때 아래를 내려다보거나 내려갈 때를 빼면 별로 무섭지 않다. 하지만 안전 장비가 없으니 떨어지면 크게 다치거나 죽을 수 있다.

여기서부터는 조용히 걸어야 한다. 이곳에 있는 새들은 사람이나 큰 동물들과 접촉해 본 적이 없을 테니 작은 소리에도 민감하다. 그것이 은찬이가 새를 활로 잡는 이유이기도 했다. 몰래 창을 휘두를 수 있는 거리까지 다가가기가 무척 힘들다. 새들은 사람보다 청각이 예민하니 작은 소리에도 놀랄 수 있다.

은찬이는 주위를 둘러보았다. 아직 새는 찾지 못했다.

'조금 더 깊이 들어가야 하나 보다. 새가 근처에 있다면 울음소리나 날갯짓하는 소리가 들리니까 그런 소리가 들릴 때까지만 가면 될 거야'

은찬이는 미리 화살을 장전해 두었다. 새가 보이면 바로 활을 쏠 수 있도록 하는 조치이다. 화살을 빨리 쏠수록 새를 잡을 수 있는 확률이 늘어난다. 화살을 장전하고 새를 조준한 뒤 쏘면 시간이 좀 걸려서 새가 도망갈 수 있기 때문이다. 새를 놓치면 깃털과 고기를 얻지 못한다.

새고기는 손질하고 나면 크기가 크지 않아서 구운 뒤에 나뭇가지로 꼬챙이를 만들어서 새고기 꼬치를 만들 수 있는데 이 꼬치구이는 들고 다니며 먹거나 일을 하며 먹기에 아주 좋았다. 그리고 깃털은 화살에 붙이거나 빗자루 같은 생활용품을 만들 수 있다. 한마디로 새는 아주 쓸모가 많으므로 한 마리라도 더 잡아야 한다.

은찬이는 걷다가 새를 발견했다. 은찬이가 잡던 새가 아니지만 크기는 비슷했다. 은찬이는 활시위를 당겼다.

"피융!"

화살은 새의 몸통에 맞았다. 예전의 화살이었다면 새가 죽지는 않았겠지만, 지금은 화살의 위력이 엄청나서 새는 바닥으로 떨어진 뒤 더는 움직이지 않았다.

"첫 시작부터 좋은데?"

은찬이는 화살을 수거하고 새를 가방에 넣었다. 은찬이의 가방에 넣으면 냄새가 날 수 있으니 얼마 전 은찬이가 직접 멧돼지 가죽으로 만든 가방에 넣었다. 크로스백처럼 옆으로 메는 가방인데 새 다섯 마리는 집어넣을 수 있다. 새 사냥용이나 열매 채집용으로 아주 좋았다. 역시 가방을 만들길 잘했다. 쓸모가 아주 많고 편리하니 정말 좋았다.

10분도 지나지 않아 은찬이는 두 번째 새를 발견했다.

"피융!"

"이런 빗나갔네…."

화살은 새에게서 20센티미터 떨어진 곳으로 향했다. 새는 놀라서 도망가고 말았다. 은찬이는 화살을 수거하고 다시 새를 찾기 시작했다. 아직 화살이 20개 정도밖에 없어서 화살을 다시 수거해서 써야 한다. 최대한 화살을 아껴서 써야 한다.

나무에 열매가 있어서 열매를 땄다. 열매는 발견하면 일단 많이 따 두는 것이 좋다. 열매에 독이 있을 수 있지만 일단 많이 따서 집으로 가져간 다음 테스트를 해보는 거다. 하루가 지났는데도 몸에 이상이 없다면 많이 따왔으니 열매를 실컷 먹을 수 있고 몸에 이상 증상이 나타난다면 독이 있는 열매이다. 독이 있는 열매를 많이 땄으니 다 버리면 된다. 그러므로 일단 많이 따 두는 것이 현명하다.

열매를 조금 먹어봤다. 톡 쏘고 달콤한 맛이 느껴지는 거로 보아 오디(뽕나무의 열매인데 익으면 검은색이 된다. 그냥 먹어 맛있지만 많은 사람이 주스를 담가 먹는다)인 것 같았다. 은찬이는 입맛을 다셨다.

할머니 댁에서 오디를 많이 먹는데 아무리 먹어도 질리지 않는다. 오디를 그냥 먹기도 하고 얼려서도 먹고 주스로도 먹었다. 셋 다 엄청 맛있다.

오디를 먹을 생각에 은찬이는 기분이 좋아졌다. 은찬이는 오디를 매우 좋아한다. 할머니 댁에 가면 밥을 다 먹고 후식으로 항상 오디를 먹는다. 여기서도 오디를 먹게 될 줄이야!

오디를 따서 가방이 가득 차게 넣었다. 열매는 멧돼지 가죽 가방이 아닌 은찬이의 가방에 넣었다.

가방이 두 개니 가방을 부르는 게 살짝 불편했다. 가방에게 이름을 지어줘야 할 것 같았다.

"멧돼지 가죽으로 만든 가방은 크로스백이고, 내가 매고 온 배낭은 배낭이라고 부르자."

둘 다 가방이나 조금 헷갈려서 이름을 부르기로 했다.

세 번째 새를 발견했다. 은찬이는 재빨리 활을 장전하고 활시위를 당겼다.

"피융!"

새가 화살에 맞았기는 하는데 은찬이가 활시위를 당길 때 힘을 좀 약하게 줘서 새가 날뛰었다. 은찬이는 새를 쫓아갔다. 그리고 화살을 잡은 뒤 창으로 새를 찔렀다. 그리고 새를 가방에 넣었다. 이정도 수확이면 집으로 돌아가도 좋았다.

새를 많이 잡지는 못했지만, 오디를 2kg 정도 땄으니 새고기 3개만큼의 가치가 있었다. 아니 그 이상으로 가치가 있다. 이정도 오디면 한 달은 먹을 수 있을 거다. 은찬이는 집으로 가는 길을 찾기 위해 나무에 올라갔다.

집에서 피어오르는 모닥불 연기가 보여서 길을 쉽게 찾을 수 있었다. 중간중간 화살표를 그리는 것도 잊지 않았다. 가면서 열매를 더 찾아서 주머니에 넣었다. 배낭에는 오디가 가득 차서 뭘 더 넣을 수가 없었다. 열매를 주머니에 넣고 다시 걷기 시작했다. 숲으로 들어갈 때는 길이 멀었는데 돌아갈 때는 가까워 보였다. 사냥에 성공하고 열매도 많이 따서 마음도 든든했다.

저 멀리 집이 보였다. 100미터만 더 가면 도착할 것 같았다. 은찬이는 열매를 먹으며 계속 걸었다. 오디 말고 아까 딴 열매를 먹었다. 이 열매도 달콤했다.

집에 도착해서 무기들을 내려놓고 누워서 좀 쉬었다.

"아이고!"

일을 하고 눕는 건 정말 최고다. 스트레스가 풀린다고 해야 하나? 정말로 기분이 좋아진다.

"잠깐 낮잠이나 자야겠다."

오늘은 사냥도 하고 열매도 잔뜩 땄으니 쉴 권리가 있다. 잠깐 낮잠을 자고 활쏘기 훈련을 하기로 했다. 낮잠을 자기 위해 모닥불에 땔감을 더 넣었다. 그리고 멧돼지 가죽으로 만든 털옷도 벗지 않았다. 이제 추워지기 시작했으니 체온 유지가 무엇보다도 더 중요하다.

은찬이는 낙엽으로 만든 침대에 누웠다. 딱딱한 바닥에 낙엽 몇 장을 깔았지만 이제 익숙해졌다. 오히려 집으로 돌아가 푹신푹신한 침대에서 자는 것이 더 어색할 것이다.

물론 훨씬 편해서 어색함 같은 거 다 잊고 잠들 것 같지만 말이다.

은찬이는 침대에 누워서 눈을 감았다.

몇 시간 뒤 은찬이는 잠에서 깨어났다. 뭔가 푹 자고 일어난 느낌이 들었다. 요즘 잠자는 시간이 약 9시간 정도 된다. 덕분에 키도 많이 컸다. 가방에 있는 줄자로 재보니 약 166센티미터 정도였다. 이정도면 반에서 두 번째로 큰 거다. 은찬이는 원래 큰 편도 작은 편도 아니었다. 하지만 지금은 누가 봐도 큰 편이다. 6학년인데 166센티미터 정도면 확실히 큰 편이다.

은찬이는 집 밖으로 나왔다. 아직도 해가 지지 않았다. 정확하게 몇 시인지 예상하기가 가장 어려운 시간이었다. 몇 시인지 정확하게 알 수 있다면 참 좋을 텐데…….

"아! 가방에 손목시계!"

은찬이가 고함을 질렀다. 은찬이는 배낭을 열고 손목시계를 찾기 시작했다. 아빠랑 캠핑하러 가고 나서부터 여기에 넣어 두었으니까 분명 여기에 있을 거다. 은찬이는 배낭을 뒤적거리다가 손목시계를 발견했다. 건전지를 갈아 끼운 지 다섯 달 정도 되었으니까 잘 작동할 거다. 이 시계는 한 달에 약 5분 정도 느려지니 25분만큼 긴바늘을 앞으로 돌렸다. 은찬이는 시계를 손목에 차 보았다. 아직 크기는 맞았다.

이제 항상 시간을 알 수 있으니 여러모로 도움이 될 것이다. 이제 할 일을 하고 집에 돌아오는 시간이나, 잠들었던 시간 등을 정확하게 알 수 있다.

이 시계는 은찬이의 생존을 편하게 만들어줄 것이다.

시계로 방향을 알 수 있고 급할 때는 시계 유리로 빛을 모아 불을 피울 수 있다. 볼록렌즈로 빛을 모으는 거랑 원리는 같다.

은찬이는 시계를 차고 활을 가지고 나왔다. 활쏘기 훈련을 할 예정이었다. 활과 화살을 챙겨서 밖으로 나갔다.

화살 훈련장에 도착했다. 이곳도 지난 석 달간 많은 변화가 있었다. 돌과 나무로 만든 벽이 있었고 과녁도 세 개가 되었다. 전보다 훨씬 훈련하기가 좋았다.

은찬이는 활시위를 당기려다 멈칫했다. 거리가 조금 가까운 것 같았다. 8미터 정도면 멀지만 은찬이는 활을 잘 쏘기 때문에 거리를 조금 늘려야 할 것 같았다. 한 14미터 정도로 늘리기로 했다. 은찬이는 14미터 정도 떨어진 거리에 선을 그었다. 이제 좀 멀리서 쏘는 느낌이 들었다.

"와! 이거 좀 먼데?"

8미터 정도에서 쏘다가 12미터에서 쏘니 정말 어려워 보였다. 겨우 4미터 차이지만 무언가 확 달라진 느낌이었다. 마치 늘 샤프를 쓰다가 갑자기 연필을 쓰는 기분이었다. 하지만 은찬이는 이보다 훨씬 어려운 일도 극복했다. 맹수와 싸우고 며칠을 오렌지만 먹고 견딘 거에 비하면 이건 정말 아무것도 아니다.

은찬이는 활시위를 당겼다. 평소보다 조금 더 센 강도로 당겨야 할 것 같았다.

"피융!"

이런! 과녁의 끝에 맞았다. 2점이었다.

"다시 하면 되지!"

이번에는 8점이 나왔다. 100점을 맞추기가 참 힘들었다.

"훈련을 많이 해야겠다. 이제 먹을 거쯤이야 금방 구하니 시간이 많이 남잖아. 훈련 시간을 늘리자!"

은찬이는 2시간 동안 훈련을 계속했다. 화살 7개 정도를 한 번에 쏘고 다시 수거하는 일을 반복했다. 활쏘기 훈련에 푹 빠져있으니 어느새 저녁을 구해야 할 시간이었다. 하지만 은찬이는 아까 멧돼지를 잡았기 때문에 활쏘기 훈련을 계속할 수 있었다.

하지만 은찬이의 배는 음식을 달라고 소리치는 것 같았다. '꼬르륵' 소리가 엄청나게 크게 들렸다. 쉬지 않고 활쏘기 훈련을 해서 배가 고팠다.

"좋아! 지금은 밥을 먹자!"

아까 잡은 돼지고기를 끓여서 먹기로 했다. 냄비에 고기를 반 정도 넣고 물을 담았다. 끓이면 균이 죽으니 냄비에 냇물을 담아도 상관없었다. 이곳에는 은찬이를 제외하면 사람이 없는 곳이어서 물이 깨끗했다. 생활용수로는 쓸 수 있을 정도다.

식수로 쓰는 건 조금 위험하지만 끓이면 균도 사라지니 요리에도 쓸 수 있다. 냇가는 정말 좋은 곳이다.

은찬이는 냄비를 모닥불 위에 두었다. 물이 끓으면서 넘칠 수 있으니 너무 가까이 두면 모닥불이 꺼질 수 있으므로 조금 거리를 둬야 했다.

"음~! 맛있겠다."

벌써 맛있는 냄새가 마당 가득 퍼졌다. 고기가 아직 다 익지도 않았는데 먹고 싶었다. 은찬이는 레이의 영양 정보가 담긴 영상을 보기 전까지만 해도 고기를 끓여 먹는 걸 매우 싫어했다. 하지만 레이가 고기를 구워서 먹으면 맛은 잊지만, 불에 굽는 거기 때문에 영양소가 파괴된다고 했다. 즉 고기를 구우면 맛은 있지만 영양소를 별로 섭취할 수 없다는 거다.

하지만 고기를 끓여서 먹으면 국물에 영양소가 있고 고기에도 영양소가 거의 보존된다. 가장 좋은 점은 뼛속 영양소도 섭취할 수 있다는 거다. 국물에 뼛속 영양소와 고기의 영양소가 들어있는 거다. 그리고 고기도 부드러워진다.

그 말을 듣고 은찬이는 갈비탕을 먹어봤다. 평소 싫어하던 갈비탕이지만 그때는 무언가 다르게 느껴졌다. 고기도 부드럽고 맛도 있었다. 따뜻한 국물에는 고기의 맛이 배어있었다. 한마디로 완벽한 맛이었다. 그날부터 은찬이는 갈비탕을 좋아하게 되었다.

생각하며 멍때리고 있으니 냄비에서 물이 끓어 넘치는 소리가 났다.

"으아악!"

은찬이는 서둘러 냄비를 불에서 빼고 땅에 내려놓았다. 물이 아주 조금 넘쳤지만 크게 줄어들지는 않은 것 같았다. 뚜껑을 만들어서 다행이다. 물이 수증기가 되어 날아가지 않으니 물을 보존할 수 있었다. 물론 뚜껑에는 열기가 빠져나갈 수 있는 구멍을 만들어 두었다.

물이 보글보글 끓고 있었다. 고기는 아직 익지는 않은 것 같았다. 조금 더 끓여야 한다. 불에서 조금 더 거리를 벌려야할 것 같았다.

은찬이는 모닥불 위에 거치대를 만들어서 냄비를 매달아 두었다. 이제 물이 끓어 넘치지는 않을 거다. 불을 지키면서 고기가 익을 때를 기다리면 된다. 은찬이는 모닥불에 장작을 넣었다. 불을 작아졌다가 나무에 붙어서 다시 활활 타올랐다.

더 이상 기다릴 수 없을 때 은찬이는 냄비를 확인했다. 이제는 먹어야겠다고 생각했다. 배도 고프고 오래 끓여서 지금은 먹어도 될 것이다. 고기부터 먹으면 맛있을 것이다. 그다음에는 국물을 마셔야지. 따뜻하고 영양가 많은….

냄비를 확인하니 예상대로 딱 먹기 좋게 익어 있었다.

"와! 맛있겠다."

은찬이는 나무로 젓가락을 만들었다. 물에 씻고 말려두었다. 썩을 줄 알았는데 지금 보니, 바싹 말라 있었다. 젓가락으로 써도 안전할 것이다. 일회용으로.

고기부터 집었다. 고기는 먹기 좋게 탱글탱글하고 부드러워져 있었다.

"잘 먹겠습니다.!"

은찬이는 고기를 먹었다. 역시 이 맛이다! 캠핑을 온 거라면 참 좋을 텐데…. 캠핑을 왔다면 은찬이는 "이 맛에 캠핑오지!"라고 소리쳤을 것이다. 다음은 국물이다. 은찬이는 뜨거운 걸 잘 못 먹어서 그릇으로 쓰고 있는 용기에 덜어서 먹었다.

"후루룩!"

"와! 맛있다!"

정말 맛있는 맛이었다. 몇 번을 먹어도 질리지 않는 맛이다.

은찬이는 허겁지겁 음식을 먹기 시작했다. 뜨거운 것도 잊고 음식을 먹었다. 배가 따뜻해지고 채워지는 게 느껴졌다.

밥을 다 먹고 활쏘기 훈련을 하려고 했는데 날이 어두워져서 포기해야 할 것 같았다. 아쉽지만 집에 들어가기로 했다. 밤이라 날이 점점 추워지는 것 같았다. 집은 따뜻했다.

"화살이나 만들어야겠다."

은찬이는 화살을 만들기로 했다. 화살은 많을수록 좋고 시간을 보내는 방법이 이것뿐이기 때문이다.

은찬이는 나무 막대기를 집어 와서 화살을 만들기 시작했다. 돌은 집에 좀 있어서 그 돌들을 사용할 것이다. 이제 돌을 화살촉으로 끼우는 건 어렵지 않다. 은찬이는 진화했고 강해졌다. 이정도는 아무것도 아니다. 몇 분만 앉아있어도 화살 5개는 거뜬히 만들 수 있다. 한 달에서 두 달 전에 화살을 빠르고 튼튼하게 만드는 법을 터득했기 때문이다.

먼저 나무막대를 하나 준비한다. 그리고 끈도 필요하다. 은찬이는 한 달쯤 전에 주운 주머니칼로 돌이 들어갈 작은 홈을 만들었다. 돌도 화살촉 모양으로 깎았다. 그리고 돌을 나무막대에 끼워준다. 홈을 좀 작게 만들어서 돌이 아주 꼭 끼기 때문에 잘 빠지지 않는다. 하지만 여기에서 끈으로 단단히 묶어주면 절 때 빠지지 않는다. 이런 식으로 화살을 만들면 된다. 돌을 미리 깎아놔서 화살 다섯 개를 만드는 시간은 5분도 걸리지 않았다.

화살을 다 만들고 열매를 좀 먹었다. 오디를 먹었는데 오디는 생존에 정말 좋은 수단이다. 갈증이 심한 데 물을 아껴야 할 때 오디가 제격이다. 과즙이 많이 들어있어서 세 개만 먹어도 갈증이 해결되고 아주 달지만 당연하게도 설탕이 없어서 몸에 나쁘지 않다. 오디는 생존에 아주 도움이 된다.

"이 사실을 엄마, 아빠한테 말하면 오디를 많이 사주려나?"

그러면 아주 멋질 것이다. 은찬이는 오디를 매우 좋아하는

데 집에 오디가 많으면 아마 간식으로 실컷 먹을 수 있을 것이다. 저녁을 다 먹고도 먹고 텔레비전을 보면서도 먹을 수 있다면 참 좋을 거다.

이제 자야 할 시간이다. 은찬이는 모닥불에 장작을 넣고 털옷을 입은 뒤 낙엽으로 만든 이불을 덮었다. 얼마 전에 만들었는데 낙엽을 4중으로 두껍게 만들었다. 이불을 덮고 자는 기분이라도 내려고 만들었는데 생각보다 따뜻했다.

물론 집에 있는 이불과는 비교할 수 없지만 낙엽으로 만든 것 치고는 매우 따뜻한 편이다. 이정도면 얼어 죽지는 않을 거다. 모닥불도 있고 두꺼운 털옷도 있으며 이불도 있다.

날짜 감각을 잊은 지 오래지만 은찬이는 매일 밤 자기 전 집 벽에 작대기를 그었다. 여기에 오게 된 날이 7월 9일이고 작대기가 124개 있으니, 지금은 11월 13일이다. 한 가지 문제는 어제부터 기온이 떨어지기 시작했다는 거다.

은찬이는 숲에서 먹을 걸 찾다가 땅이 얼어붙은 걸 발견했다. 서리였다. 아마 냇물도 곧 얼어붙을 거다. 한국보다 겨울이 빠르게 찾아오는 것 같았다.

"내일은 냇물이 얼어붙기 전에 냇물은 퍼오자. 그리고 얼음을 깰 수 있는 해머도 하나 만들어야지."

은찬이는 눈을 감은 후 잠들었다.

아침 9시 24분. 은찬이는 잠에서 깼다. 오늘은 냇물을 퍼오고 얼음을 깰 수 있는 망치나 해머를 만들어야 한다. (망치는 한 손으로 들고 주로 못을 박는 용도로 사용되지만, 해머는 양손으로 들 수 있는 무언가를 부수는 용도로 쓰인다)

은찬이는 어제 먹고 남은 고기를 먹고 출발했다.

아침 공기는 신선하고 차가웠다. 이제 확실히 겨울이다.

"아~ 나는 차가운 공기를 코로 깊게 마시는 게 좋더라."

은찬이는 냇가로 갔다. 예상대로 냇물은 살얼음이 둥둥 떠 있었다. 은찬이는 물을 뜨려다가 멈칫했다.

"마침 목마른데 살얼음이 둥둥 떠 있는 냇물 한번 마셔봐?"(갈증이 심한 상태에서 살얼음이 둥둥 떠 있는 물을 마시는 기쁨이란)

은찬이는 두 번 생각하지도 않고 물을 마셨다. 차가워서 숨을 쉴 수 없을 정도였지만 은찬이는 물을 꿀꺽꿀꺽 삼켰다. 참으로 행복한 기분이었다. 물을 다 마신 뒤 은찬이는 물을 통에 떠갔다. 3리터에서 4리터쯤 되는 물병 2개를 챙겨왔으니 이 정도면 충분하다. 다만 물병이 조금 무거웠다. 하지만 이 정도는 들 수 있다. 은찬이는 물병을 들고 집으로 갔다.

집에 가는 길에 커다란 꽃게를 발견했다. 은찬이는 물병을 던져서 꽃게를 잡았다. 은찬이의 얼굴 정도 돼서 한 끼 식사로 충분할 것이다.

집에 도착해서 은찬이는 물병을 집 안에 두었다. 집 안은 따뜻하니 물이 얼지는 않을 것이다. 아까 잡은 꽃게는 점심때 먹으려고 바닷물을 떠와서 꽃게를 넣어 두었다.

"이제 해머를 만들어야겠다. 근데 철로 만들지는 말자. 철로 해머를 만들면 내리칠 때 충격이 내 팔로 갈 테니 팔이 남아 있질 않을 것 같아서 돌로 만들어야겠다."

은찬이는 돌을 찾으러 숲에 들어갔다. 가끔 은찬이가 찾는 커다란 돌멩이가 보였지만 줍지 않았다. 저런 돌멩이는 얼음을 깨다가 깨질 수 있다. 더 단단한 돌을 찾아야 한다.

해머가 없다면 은찬이는 겨울 내내 살아남지 못할 거다. 바다에서 물고기를 잡으면 되지만 냇물이 얼어붙어 식수를 찾지 못하게 된다. 사냥감은 숲에서 찾으면 되지만 식수가 없다면 은찬이는 살아남을 수 없다. 어서 해머를 만들 수 있는 돌을 찾아야 한다. 은찬이는 쓸 만한 돌을 발견했다. 크기가 은찬이의 얼굴만 했고 시험 삼아 바닥에 세게 내리쳐도 깨지지 않았다. 깨지기는커녕 흠집도 나지 않았다. 은찬이는 가방에 돌을 넣었다. 몇 개만 더 찾아보고 그중 가장 좋은 돌로 해머를 만들 것이다. 이 돌도 강력한 후보다.

시간이 지나자 은찬이는 쓸 만한 돌을 몇 개 더 찾았다. 이제 집으로 돌아가면 된다. 이 중 가장 쓸 만한 걸 골라야 했다.

은찬이는 집으로 달렸다. 돌들이 너무 무거워서 빠르게 달리지는 못했지만 은찬이는 5분 만에 집에 도착했다.

집에 와서 가장 좋은 돌을 뽑았다. 재질이 거칠지만 절 때 부서지지 않을 것 같은 돌이었다. 은찬이가 세 번째로 찾은 돌이었다. 너무 단단해서 해머로 써도 된다. 돌에다가 알루미늄을 덮어서 치는 부분은 완성했다.

이제 막대를 만들어야 하는 데 이건 굵은 나무 봉으로 만들었다. 이제 이 둘을 묶어야 하는데 이건 은찬이가 저번에 만든 넝쿨로 새끼를 꼬아서 만든 줄을 사용했다. 넝쿨 네 개를 한 번에 꼬아서 만든 줄과 똑같이 넝쿨 네 개를 꼬아서 만든 줄 두 개를 꼬아서 밧줄만큼 튼튼한 줄을 만들었다. 이건 진짜로 절 때 끊어지지 않는 줄이다. 이걸로 묶으면 해머 완성이다.

"와! 이 줄은 절·대·로 끊어지지 않지! 날카로운 거로 자르지 않는 이상 이 줄이 끊어지는 일은 없다고!"

해머를 끈으로 고정했다. X자로 엄청나게 휘감은 다음 단단하게 매듭을 지었다. 이제 이 줄은 절 때 풀어지지 않는다.

은찬이는 절 때 풀어지거나 느슨해지지 않는 매듭을 사용해서 묶었기 때문이다. 이 매듭을 사용하면 줄을 자르지 않는 한 절 때 풀지 못한다. 이렇게 해머 완성이다.

은찬이는 시험 삼아 바위를 해머로 내리쳤다. 해머는 멀쩡

했다. 아주 잘 만든 것 같았다. 이번 발명은 성공이다. 아주 큰 성공이다. 한마디로 대성공이라고 할 수 있다. 이제 물이 얼어붙어도 물을 얻을 수 있다. 해머가 아무리 단단해도 내구성이 있으니 해머가 망가지지 않도록 집구석에 잘 세워 두었다.

'꼭 필요한 일이 아니라면 해머를 쓰지 말아야지. 해머가 망가지면 한동안 물을 구하지 못할 수도 있어. 그러면 정말 큰일 나겠지. 이틀만 물을 구하지 못해도 마실 물이 없을 거야'

"이제 뭐 하지?"

좀 돌아다니며 먹거나 마실 수 있는 걸 찾거나 쓸 만한 물자를 좀 구해야겠다. 이렇게 가만히 있는 시간 동안 뭐라도 찾으면 도움이 될 테니 어서 무언가를 찾아야 한다.

숲에 들어가서 무언가를 찾기로 했다. 그런데 한 가지 좋은 점이 있었다. 이제 숲으로 깊이 들어가도 된다. 11월 중순은 곰이 겨울잠을 자는 시기이기 때문이다. 곰은 종이나 지역에 따라 조금씩 다르지만 대부분 11월에서 3월, 길면 4월까지 4개월에서 5개월간 긴 겨울잠을 잔다. 그러니 11월 중순인 지금은 곰이 겨울잠을 잘 확률이 아주 높다는 거다. 그러니 그동안 가보지 못했던 숲에 들어가서 음식과 물자를 찾으면 된다. 그래도 혹시 모르니 무기를 챙기고 주변을 경계하며 이동하자. 그지 바로 출발하면 3시간에서 4시간은 숲에서 필요한 걸 찾을 수 있다.

은찬이는 창과 화살을 챙기고 숲으로 출발했다. 창을 챙기다가 옛날 생각이 났다. 은찬이가 여기에 온 지 얼마 되지 않았을 때, 무기가 허접할 때, 배고플 때.

"옛날에는 창의 날카로운 부분도 다 나무였는데…. 활도 지금보다 사거리가 짧고 이렇게 튼튼하지도, 위력이 강하지도 않았는데…."

옛날에 쓰던 창과 활은 은찬이가 집에 잘 보관하고 있다. 물론 지금은 창의 날카로운 부분이 돌이고 활도 위력이 훨씬 강해서 사용하지는 않지만 그래도 버리지는 않았다. 3달 전까지만 해도 이 무기들을 썼고 무엇보다 첫 무기인데 버릴 수는 없다. 그냥 집에 잘 전시하고 있다.

거의 매일 숲으로 가지만 숲의 공기는 새로웠다. 오늘의 공기는 차갑고 맑았다. 은찬이가 가장 좋아하는 공기였다. 숲의 깊은 곳으로 들어가다가 열매를 발견했다. 저번에 은찬이가 거의 다 따서 6개 정도가 남아 있었다. 은찬이는 열매를 먹었다. 가져가기에는 너무 적은 양이었고 지금 딱 허기가 느껴졌기 때문에 먹는 게 좋을 것 같았다. 이정도 허기는 식사 후에도 느끼는 허기여서 별거 아녔다. 은찬이는 뚱뚱하고 살이 찌지는 않았지만, 밥을 매우 많이 먹는 편이었다. 배가 고프면 밥 4공기에 김치찌개 2그릇은 먹을 수 있었다. (그래도 운동을 많이 해서 살은 찌지 않았다) 근데 그렇게 먹고도 가끔 허기를 느낄 때가 있었다. 절대로 먹는 양이 부족한 건 아니다. 그냥 허기가 느껴졌다. 하지만 몇 분 후 가라앉는다. 지금은 딱 그런 허기인 거 같았다. 열매 몇 개만 먹으면 가라앉는 허기. 나쁘지 않았다. 이 허기는 밥을 먹고 먹을 걸 찾아다니라는 신호일 뿐이다.

은찬이는 숲을 돌아다니며 땔감을 많이 찾았다. 이정도 양이면 앞으로 며칠은 끄떡없을 것이다. 하지만 땔감 때문의 가방에 뭘 더 넣을 수도 없고 손에도 뭘 들 수가 없었다. 아마도 집에 다녀와야 할 것 같았다. 집에 가서 땔감을 두고 다시 여기로 오는 거다. 아직 그렇게 깊이 들어오지는 않았으니 금방 집에 갔다가 다시 올 수 있을 것이다. 집까지 5분이면 충분히 갈 수 있다. 집에 가는 김에 화살을 조금 더 챙겨와야지. 화살을 점검하느라 지금 은찬이가 가지고 있는 6개 빼고는 전부 집에 있었다.

"적어도 땔감이라도 많이 찾았네! 이거면 며칠 동안 귀찮은 일 없겠네…."

집에 도착했다. 은찬이는 땔감을 집 안에 두고 화살을 챙긴 뒤 숲으로 다시 발걸음을 옮겼다. 그런데 은찬이가 예전에 만들어 둔 구조 신호가 눈에 들어왔다. 모닥불, SOS, 또 다른 모닥불, 섬 반대편에 있는 모닥불, 횃불들….

은찬이는 지난 넉 달 동안 여러 번 구조 신호를 올렸고 그 중 아무것도 누군가에게 전달되지 못했다. 그중 한 번은 수평 선 정도의 거리에 있는 배가 볼 뻔하기도 했지만 역시 실패 했다. 이만큼 이 섬에서 생존했고 그 많은 구조 신호를 누구 도 보지 못했으니 아마도 구조를 기다리긴 틀린 것 같았다. 이제 직접 움직여야 할 때가 온 것 같았다.

"내가 저번에 수평선 근처에서 배를 봤어. 한 번도 아닌 세 번. 그 말은 수평선 근처에 배가 지나다니는 항로가 있다는 뜻이야! 거기까지만 가면 구조될 수 있을 거야. 하지만 어떻 게 가지? 물론 지금까지 여기서 살아남은 내가 뗏목쯤이야 만들 수 있지만, 바다에 나갈 수 있을까? 가깝지도 않고 무려 수평선 가까이! 바닷가에서 수평선까지의 거리가 약 4.5 킬로 미터 정도 되니까 바다에서 4.5 킬로미터를 뗏목으로 가야 한 다는 거잖아! 거친 바다를 헤치면서! 잘못해서 표류하게 된다 면…."

그러면 정말 버티지 못할 수도 있다. 신중하게 선택하고 날 씨나 바다 상태, 육풍과 해풍을 고려해서 출발해야 한다. 참으 로 어려운 결정이라 며칠 동안 꼼꼼히 계획을 짜고 출발해야 한다. 아마 준비하려면 열흘은 걸릴 것이다.

일단 지금은 숲으로 가서 먹을 걸 찾기로 했다. 사냥이나 해서 먹을 걸 잔뜩 구하고 저장해 둘 생각이었다. 뗏목을 타고 탈출할 생각이라면 뗏목 안에 최대한 많은 식량과 식수를 실어야 한다. 예상보다 열 배는 많이!

은찬이는 몸집이 큰 멧돼지나 사슴을 잡기로 했다. 그쯤이야 진화한 은찬이에게는 쉬운 일이다. 넉 달 전 은찬이가 늑대를 이기고 진화하기 전과 후의 은찬이는 매우 달랐다. 진화하기 전의 은찬이가 맹수에게 겁을 먹었다면 지금의 은찬이는 맹수를 발견하면 높은 곳으로 올라간다. 나무나, 바위 같은 곳. 그리고 무기를 꺼내고 그 맹수를 경계한다. 높을 곳에 올라가는 이유는 두 가지가 있다. 첫 번째는 높은 곳에 올라가면 맹수의 공격으로부터 안전해진다. 두 번째 이유는 높은 곳에 올라가면 맹수에게 위협감을 줄 수 있다. 높은 곳에 올라가서 맹수를 쫓아버리는 건 매우 잘 먹혔다.

은찬이는 활과 창을 챙겼다. 그리고 숲으로 출발했다.

멧돼지나 사슴을 잡으려면 은찬이가 매일 숲으로 들어가는 방향에서 조금 왼쪽으로 들어가야 한다. 거기에 멧돼지가 많이 살기 때문이다. 사슴도 그곳에 있다. 그곳에는 물웅덩이가 있어서 동물들이 많이 모여든다. 은찬이는 그곳으로 가고 있다. 멧돼지나 사슴을 노리면서.

'사슴을 빠르고 예민하니까 조금 멀리 떨어져서 쏴야지. 멧돼지는 사슴에 비해 눈치가 없으니 바로 위에 있는 나무로 올라가서 창을 내리꽂아도 될 거야. 하지만 사냥은 역시 활을 써야지!'

은찬이는 나무에 길, 표시했다. 혹시 길을 잃으면 정말 골치 아프니 길, 표시해 두며 가는 걸 잊지 말아야 한다. 전에 한 번 길을 잃은 적이 있었는데 다시 집으로 돌아가는 데까지 세 시간쯤 걸려서 그날 저녁을 구하지 못했다. 그날 밤 은찬이는 배가 너무 고파서 몇 번이나 잠에서 깼다. 5번째로 잠에서 깼을 때 은찬이는 다시는 숲에서 길 표시 하는 걸 까먹지 않겠다고 다짐했다. 두 번 다시 하고 싶지 않은 경험이었다.

여기서부터는 발소리를 최대한 내지 않고 걸어야 한다. 은찬이는 활을 장전하고 활시위를 당겼다. 사냥감을 발견하면 바로 활을 쏴야 한다. 그 순간!

"휙!"

은찬이는 멧돼지를 발견했다.

"피융!"

성공이다! 화살은 멧돼지의 머리에 맞았다.

"이렇게 사냥 성공? 나도 많이 성장했네."

이제 서둘러 집에 돌아가야 한다.

뗏목으로 탈출할 계획을 짜야 한다. 뗏목도 만들고 할 일이

태산이다. 서둘러서 돌아가야 한다. 생각보다 계획을 짜는 게 복잡했다.

은찬이는 서둘러 집으로 돌아갔다.

탈출

은찬이는 지금 뗏목을 만들고 있었다. 어제 시험해 보니 물에 잘 뜨지만 잘 가라앉았다. 뗏목 양쪽에 통나무를 다는 중이었다. 작업은 순조롭게 흘러가고 있었다.

탈출 계획을 짠지 오늘로 열흘째다. 뗏목만 만들면 이제 여기를 떠나야 한다. 빨리 집으로 가고 싶은 마음도 있지만 막상 떠나려니 너무 아쉬웠다. 지금까지 은찬이는 이곳에서 넉 달간 지내며 많은 추억을 쌓았다. 이곳에서 은찬이는 진화했고 진정한 야생인이 되었다. 이제 생존왕의 꿈을 확실히 이룰 수 있을 거다. 이 많은 추억을 두고 떠나려니 아쉬움뿐이었다.

"쿵!"

뗏목에 날개를 다 달았다. 돛은 미리 만들어 두었으니 모레쯤 출발하면 된다. 그동안 식량과 식수를 최대한 확보해야 한다. 정말 식량과 식수가 뗏목을 가득 채울 정도로 식량을 준비해야 한다. 다행히도 은찬이는 식량을 많이 준비해 두었다.

내일 전부 훈제로 만들어서 뗏목에 실을 것이다. 지금 은찬이의 마당은 식량으로 가득 차 있다. 계산해 보니 약 1주일 치 식량이다. 오늘 멧돼지나 사슴을 한 마리 더 잡는다면 열흘 치 시량을 뗏목에 실을 수 있을 것이다. 식수는 충분했다. 4.5리터에서 5리터짜리 통 3개에 물을 가득 길어왔다. 그리고 좀 작은 통에도 얼음을 넣어 두었다. 물은 보름치 정도 있었다.

"이제 사냥이나 가야겠다. 운이 따라준다면 두 마리 정도 잡을 수 있을 것 같은데…."

이제 남은 사냥은 두 번이다. 오늘 한 번 내일 한 번.

내일 마지막 사냥을 끝내면 얼려 두었던 새고기를 꺼내 잔치를 벌일 것이다. 새고기를 빼고도 식량은 많으니, 새고기를 배불리 먹고 물까지 먹어서 마지막 밤을 축하할 것이다.

한 시간 후 은찬이는 멧돼지를 한 마리 더 잡아 왔다. 두 마리를 잡는 건 어려웠다. 이제 날이 추워져서 멧돼지가 안 보이기 시작한 것이다.

"이 고기들은 전부 훈제로 만들자. 모닥불 위에 고기를 매달고 4시간 정도 있으면 열흘은 보관이 가능할 거야!"

"이제 이 아름다운 바다를 볼 나도 얼마 남지 않았구나…. 가서 뗏목을 시험해 보자"

뗏목은 생각보다 물에 잘 떴다. 대나무숲에 있는 가볍고 큰 대나무로 만들어서 그럴 것이다. 부피에 비해 크다는 건 그만큼 물에 잘 뜬다는 증거니까.

이제 낮잠을 자야겠다. 낮잠을 자는 몇 시간 동안 고기들은 훈제 요리로 변할 것이다.

"마지막 낮잠이다!"

눈을 떴을 때는 4시간이 지난 뒤였다.

훈제 요리들을 잎에 싸서 묶고 마당에 두었다. 겨울이라 음식이 상하지는 않을 것이다.

"화살 훈련을 해야겠어. 마지막 사냥을 망치면 큰일이니까!"

은찬이는 활을 챙겨서 화살 훈련장으로 발걸음을 옮겼다. 무언가 익숙한 기분이 들었다.

"활쏘기 훈련을 너무 많이 했나 봐"

왠지 점수가 잘 나올 것 같았다.

"피융!"

은찬이는 과녁에 꽂힌 화살을 확인했다. 9점이다! 실력이 매우 늘었다. 다시 한번!

"피융!"

이번에도 9점이다!

9점.

9점.

8점.

9점.

10점!

드디어 100점이 나왔다. 내일의 사냥은 확실하게 성공이다.!

은찬이는 저녁을 먹기 전 뗏목을 한 번 더 확인했다. 은찬이가 줄로 단단히 묶었기 때문에 절대 풀어지지 않을 것이다. 돛도 완벽했고 노도 두 개 있었다. 우선 하나만 쓰고 비상용으로 하나를 더 만들어서 두 개가 되었다.

"이정도면 완벽할 것 같은데?"

그런데 한 가지 문제가 있다. 출발은 모래가 아닌 내일 밤이다. 육풍과 해풍을 과학 시간에 배웠는데 밤에 육풍이 불어서 탈출하기가 쉽다고 했다. (육풍은 육지에서 바다를 향해 부는 바람을 말한다) 밤에 물살이 세기는 해도, 밤에 가지 않으면 구조되기가 어렵다. 내일 해가 질 때쯤 출발할 것이다.

"이제 자야지~ 내일 탈출이니 잠을 푹 자둬야 해!"

집 안에 낙엽을 깔고 모닥불에 땔감을 집어넣었다. 집은 금세 따뜻해졌다.

"내일 정말 탈출할 수 있을까?"

다음날 은찬이는 일어나서 열매를 좀 먹은 뒤 숲으로 향했다. 4시간 정도면 사냥을 끝내서 집으로 돌아간 뒤 훈제 고기를 만들고 파티를 열 것이다. 그다음이 탈출이다.

"마지막 사냥이네…. 벌써 마지막이라니!"

은찬이는 시간이 빨리 간다고 생각했다. 여기 온 첫날이 어제의 일처럼 느껴졌다. 그때 은찬이는 이 숲에 처음 들어와서 오렌지를 따 먹었다.

숲으로 들어가자 토끼들이 은찬이를 반겼다. 하지만 은찬이는 토끼를 잡지 않았다. 은찬이에겐 토끼보다 더 큰 동물이 필요했다.

좀 더 깊이 들어가자, 사슴이 몇 마리 보였다.

"피융!"

아~ 화살이 빗나갔다. 사슴이 너무 멀리 있어서 명중시키기가 상당히 어렵다. 하지만 저 앞에 물가가 있다. 은찬이는 나무 위로 올라가서 사슴을 겨냥했다.

"피융"

이번에는 맞았다! 사슴은 심하게 몸부림치더니 더 이상 움직이지 않았다.

이제 집으로 돌아가야 한다.

사슴을 잡아서 그런지 은찬이의 발걸음은 매우 가벼웠다. 사슴을 손질하고 훈제로 만드는 동안 파티를 열 것이다. 고기도 충분하고 무엇보다 마지막 저녁을 즐기려는 것이다.

"손질까지 다 했고 이제 파티의 시간!"

은찬이는 새고기를 집 안으로 들여온 뒤 모닥불에 굽기 시작했다. 고기는 구수한 냄새를 풍기며 구워졌다. 집에 가면 새고기는 못 먹게 될 텐데 지금 많이 먹어 두어야지. 집에 가서 치킨을 먹을 때마다 새고기 생각이 날 테니 오늘은 정말 배불리 먹고 출발할 예정이다.

"와~ 맛있겠다."

은찬이의 집은 맛있는 냄새로 가득 찼다. 튀기지 않고 불에 구운 치킨 냄새가 났다. 어서 먹어 보고 싶었다. 하지만 참아야 한다. 새고기는 다른 고기보다 익는 데 걸리는 시간이 훨씬 오래 걸린다. 겉 부분은 익은 것 같아도 속에는 아직 익지도 않은 경우가 종종 있다. 그래서 다 익은 것 같아도 좀 기다려야 한다. 현재 모닥불 위에는 7개의 새고기가 구워지고 있는데 전부 맛있는 냄새가 났다. 이제 먹어도 됐다. 하지만 먼저 확인하는 편이 좋다.

"음~ 이정도면 다 익었네. 딱 적당하고 기름기도 배어있고."

이제는 정말 먹어야 할 것 같았다. 너무 오래 구웠다.

은찬이는 새고기를 한입 가득 물어뜯었다. 새고기는 하나도 퍽퍽하지 않고 부드러웠다.

"이야~ 맛은 죽여주네…. 여기에 밥과 김치가 있었으면 정말 좋았을 텐데. 나중에 엄마한테 한번 먹고 싶다고 할까? 그러면 새고기는 어려워도 닭고기나 오리고기를 구워서 먹을 수 있지 않을까?"

열매도 같이 먹었다. 열매는 한 줌만 먹고 나머지는 뗏목에 전부 챙길 거다. 뗏목에서 영양 결핍으로 죽을 수도 있으니, 생선과 고기, 열매, 식물까지 전부 챙겼다. 뗏목 안에서도 열흘은 버틸 수 있을 거다. 4.5킬로미터를 뗏목으로 가야 하니 길게 잡아도 3일 안에는 갈 수 있다. 하지만 거기서 배를 기다리는 시간과 혹시 길을 잘못 드는 상황을 고려해서 6일 정도로 잡으면 되는데 예상보다 더 길게 잡아서 열흘 치 식량을 준비한 것이다. 일단 배가 지나다니는 항로가 있으니 거기까지만 가면 된다. 이 섬이 수평선 너머로 살짝 보일 때까지 가면 된다. 거기까지만 가서 기다리면 배가 올 거다. 뗏목에서 잠을 잘 때 불을 피워야 하니 불 피울 재료도 준비해 두었다. 나뭇가지와 부싯돌, 6일 치 땔감….

땔감의 양이 조금 걱정이었다. 아껴서 쓰면 7~8일까지는 버틸 수 있지만 그때까지도 배를 발견하지 못하면 정말…. 아니다. 상상하기 싫다. 그래도 이정도 양의 짐을 싣고도 뗏목이 가라앉지 않는다는 점은 정말 행운이다. 하지만 여기서 뭘 더 실으면 뗏목이 가라앉을 수도 있다.

"식량을 좀 포기할까?"

열흘 동안 정상적으로 먹었을 때의 열흘 치 식량이라는 거지 아껴서 먹으면 보름도 버틸 수 있는 양이었다. 정말 식량을 줄여야 하나? 생존에서 가장 중요한 순위를 매기자면 보호, 구조, 물, 식량이다. 은찬이의 경우로 따지자면 보호는 추위 속에서 보호받을 수 있는 불이다. 구조는 배다. 가장 중요한 보호를 식량 때문에 포기하다니. 말도 안 된다. 인간의 몸은 2주 동안 음식을 먹지 않아도 생존할 수 있다. 식량을 포기해야 할 것 같았다.

"식량을 2일 치 정도만 포기하자. 오늘 그걸 다 먹는 거야! 먹다 남은 건 전부 꼬치로 만들어서 들고 뗏목에 타자. 출출해지면 또 뭘 먹으면 되니까."

은찬이가 고기를 우물거리며 말했다.

"그런데 뗏목에서 불을 피울 수 있을까?"

부싯돌이 있으니 괜찮을 거다. 쇠랑 부딪치면 엄청난 양의 불꽃이 튀어나온다. 지푸라기와 땔감은 충분하니 불을 피울 수 있을 거다.

1시간 뒤면 이 섬을 떠날 것이다.

이제 떠날 준비를 해야 한다. 너무 배불리 먹어서 움직이기 힘들었지만, 은찬이는, 뗏목에 짐을 실었다.

먹을 음식, 물, 땔감 등을 뗏목에 올려두고 마지막으로 집 안을 둘러보았다. 이제 여기도 마지막이다. 둘러보고 떠나야 한다. 처음 이 집을 지었을 때가 생각났다. 아주 좋은 집인데 이제 떠나야 한다니. 아쉬움이 몰려들었다.

"무기들은 가져갈까?"

무기들은 은찬이의 생존에 매우 도움이 됐다. 사실 친구라고 할 수 있다. 무기는 가져갈 것이다. 옛날에 만든 무기와 요즘에 쓰는 무기를 전부 가져가서 엄마 아빠와 이야기를 나누는 것도 좋을 것 같았다.

무기들을 챙기고 뗏목에 짐도 다 실었다. 이제 출발하면 된다. 은찬이는 마지막으로 섬을 둘러보았다. 이제 여기를 떠난다.

은찬이는 뗏목을 타고 바다로 향했다.

이제 이 섬을 영원히 떠난다. 집에 갈 수 있을 것이다.

"나이스! 이제 집으로 간다!"

은찬이는 뒤를 돌아보았다. 넉 달 동안 지낸 섬이 멀어지고 있었다. 넉 달 동안 은찬이를 지켜준 섬. 그러나 동시에 은찬이를 위험에 빠뜨린 섬이었다.

구조

은찬이는 수일째 바다를 떠돌았다. 아직 식량과 물이 남아 있다. 아직 버틸 수 있다. 하지만 일이 조금 꼬이기도 했다. 자다가 식수 한 통을 바다에 빠뜨리는 바람에 5일 치 식수가 없어졌다.

"배나 비행기가 오면 제 돼지저금통에 있는 돈 전부 기부할게요. 재발 저를 구해주세요."

은찬이는 꾸준히 노를 저었다. 수평선 부분에서 멀어지면 안 된다.

그때!

"피유유유유유융~"

비행기가 왔다. 은찬이는 소리를 질렀다. 비행기가 상당히 낮게 날고 있었다.

"여기에요! 여기라고요! **여기요!**"

비행기에서 문이 열리고 사람이 고개를 내밀었다.

"타라!"

"아이를 찾았다. 그곳으로 가겠다."

은찬이는 얼른 그 비행기에 탔다. 그 사람이 말했다.

"오랜만이다. 잘 지냈지?"

"잘 지냈겠어요. 그리고 누구….."

넉 달 전 은찬이와 함께 비행했던 조종사가 서 있었다.

은찬이는 깜짝 놀랐다. 조종사는 넉 달 전 은찬이와 함께 조난되지 않았는가?

어떻게 이런 일이 가능한 건가?

"난 이주 전에 구조되었어. 뗏목을 타고. 그리고 내가 본부에 네가 내가 지낸 섬과 몇 킬로미터밖에 떨어지지 않는다는 사실을 전했고 내가 여기로 오게 된 거야."

"보고 싶었어요! 많이요!"

이제 집으로 간다. 이제 살았다.

은찬이가 좌석에 앉자 조종사가 물었다.

"원하는 음식은?"

은찬이는 너무 기뻤다. 드디어. 넉 달 만에 제대로 된 음식을 먹는다니!

"파스타랑 큐브 스테이크요!"

비행기는 하늘을 날았다.

대한민국 인천 국제 공항을 향해. 은찬이의 집을 향해.

에필로그

은찬이가 집에 도착한 지 약 일주일이 지났다. 그 일주일 동안 많은 변화가 있었다. 먼저 수많은 방송국에서 은찬이를 인터뷰했다. 은찬이는 지금 인터뷰 영상을 보고 있었다.

사진을 찍는 소리 속에서 기자가 질문했다.

"총 4개월간 실종되었다가 돌아오셨는데 기분이 어떻습니까? 어떻게 그 오랜 시간 동안 섬에서 살아남으신 거죠? 평소에도 생존에 대해 관심이 많으십니까?"

흙먼지를 온몸에 뒤집어쓰고 있고 키가 훌쩍 자란 은찬이가 대답했다.

"일단 기분이 매우 좋은데요? 이제 끝이잖아요! 모든 위험이 끝났잖아요! 저는 생존에 관심이 많고요. 생존왕 레이를 매우 존경하고 그분의 영상을 매일 봐왔기 때문에 그 섬에서도 살아남을 수 있었어요!. 혹시 저처럼 조난되시는 분들을 위해 한 말씀 드리겠습니다."

은찬이가 표정을 진지하게 바꾸고 말했다.

"우선 희망을 잃지 말라고 조언하고 싶습니다. 살아남을 수 있다는 희망. 집에 갈 수 있다는 희망. 희망이 없다면 살아남을 수 없습니다. 아무리 생존에 대해 잘 알고, 쉽다고 느끼는 사람이더라도 희망이 없다면 아무것도 할 수 없죠. 저는 생존에서 가장 중요한 건 희망이라고 말하고 싶습니다.

두 번째는 모든 일을 긍정적으로 생각해야 합니다. 아무리 절망적이더라도 아무리 무서워도 모든 일을 긍정적으로 여기세요. 예를 들어서 나는 왜 조난되었을까? 대신 살아남아서 다행이다. 라고 생각을 긍정적으로 바꿔 생각해야 합니다. 감사합니다."

"와! 나 은근히 쩐다!"

은찬이는 기사를 찾아보았다. 기사 중 절반이 은찬이의 이야기였다. 그런데 가사 중 놀라운 기사가 있었다. 은찬이는 기절하지 않기 위해 온 힘을 써야 했다.

'생존왕 레이 '돌아온 소년'을 만나고 싶다. 선언'

은찬이는 요즘 '돌아온 소년'이라고 불리고 있었다. 하지만 그 호칭은 중요하지 않다. 지금은 이 기사가 중요했다. 아마 거짓말이거나 가짜뉴스일 것이다. 절대 레이가 은찬이를 만나

자고 말하는 일은 일어나지 않을 것이다. 은찬이는 기사를 확인했다.

'최근 '돌아온 소년'의 인기가 해외까지 퍼지며 세계 인구 중 절반이 '돌아온 소년을 알게 되었다. 그런데 이 중 생존왕이라고 불리는 '레이 브라운'이 '돌아온 소년을 만나고 싶다고 주장하는 영상을 자신의 SNS에 올리며 큰 화제가 되었다.'

이건 말도 안 된다. 레이가…. 레이가….

화면 속에서 레이의 목소리가 들렸다.

"안녕하세요. 레이입니다. 최근 돌아온 소년으로 유명해진 김은찬 군의 인터뷰 영상을 시청했습니다. 저의 팬이더군요. 그리고 생존에 대해 많이 알고 있습니다. 어쩌면 저보다 더 많이 알고 있을지도 모릅니다. 김은찬 군을 만나고 싶군요. 김은찬 군이 이 영상을 보고 있다면 연락 바랍니다."

은찬이는 비명을 질렀다.

"레이가! 나를!"

은찬이는 바로 레이에게 댓글을 달았다.

'안녕하세요. 돌아온 소년입니다. 당신이 저를 만나고 싶다니 정말 놀랍군요! 저는 당신의 팬입니다. 정말 소원을 다 이룬 것 같습니다!'

10초도 되지 않아 답글이 왔다.

'파트너 제안을 하기 위해 만나고 싶습니다.'

"파트너?"

밖으로 나갔다. 레이의 사무실이 한국에 있었다. 은찬이는 자기 눈을 믿을 수 없었다. 레이의 파트너라니! 은찬이가 평생 바라던 일이었다. 은찬이는 바로 옷을 입고 밖으로 나갔다. 레이가 요즘 한국에서 촬영하고 있어서 사무실에 가면 레이를 만날 수 있을 거다.

"레이와 같이 모험을 떠난다니!"

생각만 해도 정말 신나는 일이었다. 같이 촬영도 해서 은찬이도 유명해질 것이다. 무엇보다 레이에게 생존을 배운다!

은찬이는 레이의 파트너 제안을 받아들이기로 했다. 가슴이 뛰었다.

"야호~!"

끝

작가의 말

나는 작년부터 생존에 대해 많은 관심을 가졌다. 모험가 베어 그릴스를 매우 존경하고 그의 영상을 보며 생존에 대한 것들을 알아가기 시작했다. 직접 불을 피워 보기도 했다. 은찬이는 나를 모티브로 한 것이다.

이 책을 쓰며 생존에 대해 다시 한번 복습하게 되었다. 이 책을 쓰는 기간 동안 정말 행복했고 재밌기도 했다. 은찬이의 모험을 쓰며 은찬처럼 조난을 당해도 살아남기 위해선 희망이 필요하다는 걸 깨달았다.

이 책을 읽어주신 여러분께 진심으로 감사드립니다!

\- 조시우 -

여행 그리고 조난

발　행 | 2023년 12월 05일
저　자 | 조시우
펴낸이 | 한건희
펴낸곳 | 주식회사 부크크
출판사등록 | 2014.07.15.(제2014-16호)
주　소 | 서울특별시 금천구 가산디지털1로 119 SK트윈타워 A동 305호
전　화 | 1670-8316
이메일 | info@bookk.co.kr

ISBN | 979-11-410-5729-9

www.bookk.co.kr